FRANÇOISE TCHOU

Tchou

5e

ANNÉE
3e CYCLE

POUR LA
MAISON

LES EXERCICES DU
petit prof

Boys only

FRANÇAIS
MATHÉMATIQUE

Trécarré
Une compagnie de Quebecor Media

ÉDITION : MILÉNA STOJANAC
COUVERTURE : KUIZIN
INFOGRAPHIE ET MISE EN PAGES : KUIZIN
ILLUSTRATIONS : CHRISTINE BATTUZ

LES ÉDITIONS DU TRÉCARRÉ RECONNAISSENT
L'AIDE FINANCIÈRE DU GOUVERNEMENT DU
CANADA PAR L'ENTREMISE DU PROGRAMME D'AIDE
AU DÉVELOPPEMENT DE L'INDUSTRIE DE L'ÉDITION
(PADIÉ) POUR SES ACTIVITÉS D'ÉDITION.

LES ÉDITIONS DU TRÉCARRÉ
GROUPE LIBREX INC.
UNE COMPAGNIE DE QUEBECOR MEDIA
LA TOURELLE
1055, BOUL. RENÉ-LÉVESQUE EST
BUREAU 800
MONTRÉAL (QUÉBEC) H2L 4S5
TÉL. : 514 849-5259
TÉLÉC. : 514 849-1388

DÉPÔT LÉGAL – BIBLIOTHÈQUE ET ARCHIVES
NATIONALES DU QUÉBEC
ET BIBLIOTHÈQUE ET ARCHIVES CANADA, 2008

ISBN : 978-2-89568-363-6

DISTRIBUTION AU CANADA
MESSAGERIES ADP
2315, RUE DE LA PROVINCE
LONGUEUIL (QUÉBEC) J4G 1G4
TÉLÉPHONE : 450 640-1234
SANS FRAIS : 1 800 771-3022

DIFFUSION HORS CANADA
INTERFORUM

MOT AUX PARENTS

Les devoirs provoquent bien des maux de tête. Les parents sont inquiets et se sentent souvent démunis, surtout depuis les dernières réformes en éducation. C'est pour répondre à leurs inquiétudes que nous avons publié *Le Petit Prof – Aide aux devoirs*, des ouvrages de référence où les notions du programme de français et de mathématique sont expliquées pour être bien comprises de tous, chaque explication étant accompagnée de devoirs modèles déjà corrigés.

Les Exercices du Petit Prof ont été conçus pour compléter ces ouvrages de référence. Les exercices, calqués sur les devoirs modèles du *Petit Prof*, permettront à votre enfant de s'entraîner à son propre rythme et ainsi de consolider les apprentissages faits en classe.

Les éditeurs.

COMMENT UTILISER CE CAHIER

Après avoir cherché dans l'ordre alphabétique, comme dans un dictionnaire, la notion qui pose un problème, on peut utiliser ce cahier de deux façons :

1. S'entraîner à faire les exercices, puis vérifier les réponses dans le corrigé.

2. Commencer par lire l'explication dans *Le Petit Prof – Aide aux devoirs*, consulter les devoirs modèles, puis faire les exercices dans le cahier.

Le corrigé des **Exercices du Petit Prof** est disponible sur l'Espace pédagogique du site des Éditions du Trécarré :

http://www.edtrecarre.com/pedagogique

Vous pouvez le consulter, le télécharger ou l'imprimer selon vos besoins. De plus, vous y trouverez les renvois aux pages d'explications du *Petit Prof – Aide aux devoirs* correspondantes.

SOMMAIRE
Français

grammaire

orthographe

vocabulaire

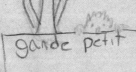

SOMMAIRE
Mathématique

arithmétique

géométrie

mesure

probabilité et statistique

1re période

FRANÇAIS

Accord dans le groupe du nom

Voir aussi genre, groupe du nom (GN), nombre.

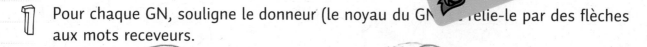

1. Pour chaque GN, souligne le donneur (le noyau du GN) et relie-le par des flèches aux mots receveurs.

a) Le père de Charles-Antoine collectionne les vieux livres. ✓

b) Ce matin, le professeur a corrigé tous nos devoirs.

c) Mes trois meilleures amies avaient les sourcils froncés.

d) Ma voisine et mon voisin n'ont rien compris.

e) Certaines explications et quelques questions étaient très compliquées.

f) Le pauvre Amédée avait composé une production écrite incompréhensible.

g) Quand la cloche a sonné, tous les élèves avaient le visage pâle et fatigué.

h) Mes divisions contenaient des erreurs stupides et impardonnables.

i) Lancelot avait les cheveux sales et décoiffés.

j) Notre professeur avait les yeux pleins de colère. ✓

2 Relie par une flèche le <u>noyau</u> de chaque GN aux adjectifs qui le complètent, puis fais les accords nécessaires.

a) Miss Lipton a les <u>cheveux</u> blond et frisé.

b) Pour son mariage, elle portait une joli <u>robe</u> blanc.

c) Les élèves lui avaient offert un <u>lys</u> et une <u>rose</u> blanc.

d) Elle a le <u>nez</u> et le <u>menton</u> pointu.

e) Lancelot est venu en classe avec une <u>chaussure</u> et une <u>chaussette</u> troué.

f) Monsieur Lebel, notre cher <u>professeur</u>, a les <u>cheveux</u> et la <u>moustache</u> brun.

g) Joséphine, ma meilleur <u>amie</u>, a les <u>oreilles</u> décollé.

h) Octave, mon meilleur <u>ami</u>, a de grand <u>yeux</u> étonné.

i) Notre charmant <u>directeur</u> a un <u>souffle</u> et une <u>voix</u> puissant.

j) Il a les <u>cheveux</u> et la <u>barbe</u> noir.

3 Relie l'adjectif en gras au nom qu'il complète, puis fais l'accord si nécessaire.

a) La cuisinière de l'école a préparé une recette de biscuits **compliqué** e .

b) Le directeur a préparé une recette de biscuits **salé** a .

c) Louis a offert à miss Lipton un bouquet de fleurs **séché** s .

d) Charles-Antoine a apporté un panier de fruits bien **garni** s .

e) Gonzales a apporté un panier de cerises bien **mûr** s .

f) Lulu a apporté un sac de croissants bien **chaud** s .

g) Le concierge a préparé une boîte **plein** e de vêtements **perdu** s .

h) Il a écrit sur la boîte : « Coffre des objets **trouvé** s .

i) Ce matin, nous avons ramassé un énorme sac de pommes **pourri** s .

j) Des camions de poubelles **vert** s sont venus ramasser les sacs.

k) L'odeur de fruits **persistant** m'a empêché de travailler.

Accord du participe passé

Voir aussi accord dans le groupe du nom, attribut du sujet, participe passé.

1 Accorde les participes passés.

C'est épatant!

a) Des rires étouffés venaient du fond de la classe.

b) Lulu et Joséphine, cachés derrière leur livre, parlaient sans arrêt.

c) Les élèves devenaient de plus en plus énervés

d) Miss Lipton était fâchée, elle est sortie en claquant la porte.

e) Le directeur est revenu avec elle.

f) Toute la classe s'est arrêtés de parler.

g) Lulu gardait les yeux baissés.

h) Joséphine était figée sur sa chaise.

i) Amédée et Lancelot avaient la tête penchée sur leur livre.

j) Le directeur les a regardés d'un air agacé.

k) Il leur a dit d'une voix irritée : « Vous serez privés de récréation. »

l) Quand il est parti, les problèmes de miss Lipton ont recommencé.

Accord du verbe

Voir aussi conjugaison, groupe sujet (GS), groupe du verbe (GV), verbe.

1 Entoure chaque groupe sujet, souligne le noyau, puis relie-le au verbe par une flèche.

En plein cours de français, le concierge apparaît soudain à une fenêtre de la classe.

De l'extérieur, il lave les vitres des fenêtres de l'école. C'est aujourd'hui le grand ménage

de printemps. Tout le monde est déconcentré.

Lancelot et Amédée s'en donnent à cœur joie et lui font de grands signes.

« C'est moi qui laverai de l'intérieur ! » crie Lulu au concierge. « Dites oui, monsieur Lebel !

Dites oui ! »

Monsieur Lebel, qui ne peut s'empêcher de sourire, tente de ramener l'ordre tant bien que mal.

Finalement, il nous annonce que ceux qui le veulent pourront aider le concierge. Tout le monde

est d'accord, sauf Louis et Adèle, qui préfèrent faire leurs devoirs. Moi qui avais oublié mon

cahier de français à la maison, j'étais bien contente. Nous avons passé le reste de la matinée

à laver et à frotter.

Pour nous encourager, la cuisinière nous avait apporté des biscuits qui étaient délicieux.

Nous les avons mangés dans la cour, pendant une petite pause. C'était une belle matinée !

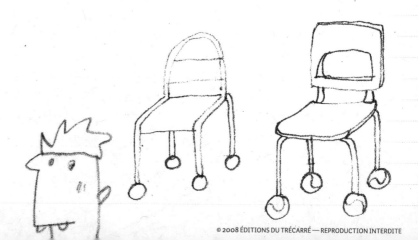

2 Dans le texte suivant, accorde les verbes entre parenthèses à l'indicatif présent.

C' _____ (être) aujourd'hui le grand ménage du printemps. La classe de

monsieur Lebel et celle de monsieur Castonguay _____ (devoir) nettoyer la

cour. Cela ne _____ (faire) pas l'affaire de tout le monde. Certains élèves de

monsieur Lebel _____ (refuser) de travailler avec des petits de troisième année.

Louis et Octave _____ (ramasser) les bouteilles vides. Lulu et sa cousine,

qui _____ (être) en 3ᵉ année, _____ (donner) des sacs

poubelles à tous les élèves. Lancelot et Amédée, qui _____ (trouver)

toujours une occasion de se faire remarquer, _____ (sauter) dans les

flaques d'eau et _____ (éclabousser) tout le monde. Un garçon et une

fille _____ (se mettre) à pleurer.

« Mon pantalon _____ (être) tout sale et c' _____ (être)

moi qui _____ (aller) me faire chicaner ! » _____ (dire)

la petite fille. Heureusement, Adèle _____ (arriver) et les

_____ (consoler) tous les deux.

À trois heures _____ (partir) les enfants qui _____ (prendre)

l'autobus. Les autres _____ (rester) jusqu'à quatre heures. Tous les élèves de

l'école _____ (avoir) congé de devoirs. Ceux qui _____ (aller)

au service de garde _____ (pouvoir) jouer dans la cour toute propre.

Adjectif

Voir aussi accord dans le groupe du nom, attribut du sujet, complément du nom, groupe du nom (GN).

1 Souligne les adjectifs des textes suivants.

a) Au mois de février, les nouveaux élèves sont rares. Aujourd'hui, un garçon est arrivé dans notre classe. Il s'appelle Fedor. Il vient d'un village minuscule de Sibérie orientale. Il est blond et très grand. Il a les pommettes saillantes et des yeux bleus un peu bridés.

Fedor n'a pas dit un seul mot de la matinée. Il est probablement très timide. Monsieur Lebel nous a demandé d'être gentils avec lui. Il l'a fait asseoir à côté de Louis, qui est le meilleur élève de la classe. La pauvre Lulu a dû aller s'installer au premier rang. Elle n'était pas très contente.

b) À la récréation, Fedor s'est assis sur la plus haute marche des escaliers de la cour. Il a ouvert un petit livre noir et n'a pas arrêté de lire jusqu'à la fin de la récréation. Il n'a pas levé la tête une seule fois. Il ne voyait même pas Amédée lui faire d'horribles grimaces. Ce n'était pourtant pas très discret.

Nous avons essayé de convaincre Olga d'aller lui parler, puisqu'elle est russe, elle aussi. Mais elle nous a dit que la Russie et la Sibérie, ce sont deux pays différents. En fait, je crois qu'elle était bien trop gênée.

Adverbe

1 Souligne les adverbes des textes suivants.

a) Olga est très timide. Souvent, elle bafouille dès qu'elle doit répondre à une question.

Aujourd'hui, monsieur Lebel lui a demandé d'épeler l'adverbe « vaillamment ». Olga a re-

gardé fixement le professeur, s'est levée lentement et a longuement examiné ses mains.

Puis, d'un ton extrêmement bas – seuls quelques élèves autour l'ont entendue –, elle a

commencé :

– v... v... v, a, i...

– Un peu plus fort, Olga. Je ne t'entends pas bien, a dit monsieur Lebel.

Elle a recommencé d'une voix parfaitement intelligible, mais trop vite :

– v, a, i, l, l, a, m, m, e, n, t.

– Merci beaucoup, Olga.

b) Olga s'est rassise précipitamment. Elle avait l'air complètement épuisée. Elle regardait

devant elle d'un air totalement perdu. Ensuite, Adèle lui a parlé doucement et Olga s'est

finalement calmée. Cela doit être vraiment pénible d'être aussi gênée. Elle ne doit jamais

avoir envie d'aller à l'école. Heureusement, monsieur Lebel ne l'interroge presque pas.

Évidemment, il ne peut pas toujours la laisser dans son coin. Il doit forcément l'interroger

parfois. Enfin, elle va certainement finir pas s'habituer.

Attribut du sujet
Voir aussi *groupe du verbe (GV)*.

 Entoure les groupes du verbe qui contiennent un attribut et souligne en bleu l'attribut.

Monsieur Lebel distribue les bulletins. Adèle et Louis paraissent contents.

C'est une habitude chez eux, ce sont les meilleurs élèves de la classe.

Ursule reste impassible. De toute façon, plus tard, elle sera bergère.

Joséphine semble surprise. Ses notes, pour une fois, sont excellentes.

Soudain, elle devient toute triste.

Le bulletin qu'elle a entre les mains n'est pas le sien.

Les notes sont celles de Lulu. Joséphine demeure pensive pendant quelques minutes.

Que doit-elle faire ? Conserver ce bulletin est impossible. Tout le monde sera fâché.

Justement, Lulu paraît contrariée et appelle monsieur Lebel.

« Monsieur, monsieur, c'est trop injuste ! Je ne comprends pas pourquoi mes résultats sont si nuls. »

« Monsieur, dit alors Joséphine d'une petite voix, ce bulletin n'est pas le mien. Tiens, Lulu, c'est

le tien. »

Monsieur Lebel regarde Joséphine. Il paraît impressionné.

« Joséphine, dit-il, tes notes sont mauvaises, mais ton honnêteté est exemplaire. Je te félicite. »

Complément de phrase

1 Souligne les compléments de phrase.

a) Ce matin, je suis arrivé en retard.

b) Lancelot est en retenue demain.

c) Gonzales participe au match des étoiles la semaine prochaine.

d) Quand il a un tournoi, Gonzales peut manquer l'école.

e) Les enfants étaient très soulagés quand la cloche a sonné.

f) En attendant l'autobus, Adèle a attrapé un rhume.

g) Omar met toute sortes de biscuits dans son casier.

h) Chez Olga, il n'y a pas de télévision.

i) Chaque élève devra lire son poème devant toute la classe.

j) Olga récitait son texte en se tordant les mains.

k) Octave s'est foulé la cheville en tombant dans les escaliers.

l) À cause de Joséphine, Lulu a été punie.

m) Joséphine a été punie parce qu'elle parlait avec Lulu.

n) Grâce à Adèle, Joséphine a compris le problème de mathématique.

o) Adèle, quand elle explique, est assez patiente.

p) Depuis qu'il est en maternelle, Amédée est insupportable.

le prof

q) Hier, en passant devant les casiers des élèves du 3ᵉ cycle, le directeur a aperçu une petite souris près du casier d'Omar. Quand il l'a ouvert, il a vu, un peu partout, des biscuits écrasés, des vieilles bouteilles de jus, des cœurs de pomme, bref, ce n'était pas beau à voir. Rouge de colère, il est entré dans la classe.

« Omar ! Tu vas me faire le plaisir de nettoyer ton casier ! a-t-il vociféré. À cause de toi, l'école est envahie par la vermine ! »

Ursule est devenue blême. Baissant la tête, elle a dit d'une toute petite voix :

« Monsieur le directeur, ce n'est pas Omar. C'est ma Mimi. Elle s'est échappée quand j'ai ouvert mon sac. »

En entendant ces mots, le directeur a ouvert grand la bouche. On voyait, dans ses yeux, briller un éclair de colère. Pointant son doigt sur Ursule, il s'est exclamé :

« Depuis toujours, dans cette école, il est défendu d'emmener son animal de compagnie. Va récupérer ton rat. Cette semaine, tu resteras en retenue tous les jours. »

Alors, de grandes larmes ont coulé sur les joues d'Ursule.

Complément direct (CD)

Voir aussi complément indirect (CI), groupe du verbe (GV).

1 Entoure les groupes du verbe qui contiennent un complément direct, puis souligne en bleu le complément direct.

Au mois de mai prochain, miss Lipton, la professeure d'anglais, épousera monsieur Trudel.

Le directeur de l'école voudrait souligner l'événement. Il organise une réception chez lui.

Tous les professeurs et les délégués de classe seront ses invités. Gonzales et Lulu

représenteront la 5e année. Chaque classe offrira un cadeau aux mariés.

Les petits de première année confectionnent un énorme mobile. Les élèves de deuxième

année construiront des mangeoires pour les oiseaux. En effet, les nouveaux mariés

s'installeront à la campagne, et ils auront un grand jardin. Les élèves de troisième année

préparent une pièce de théâtre. Ceux de quatrième année les aideront, ils fabriqueront les

décors. En cinquième année, les enfants aimeraient organiser le buffet. Après quelques

hésitations, le directeur a donné son accord. D'ailleurs, la mère d'Omar et la cuisinière de

l'école les aideront. Les élèves de sixième année prendront des photos pendant les cours et

pendant les récréations, ils feront un montage et le projetteront sur un écran géant.

Complément du nom
Voir aussi *groupe du nom (GN)*, *préposition*.

 Entoure les groupes du nom et souligne en bleu les compléments du nom.

Alerte aux poux !

Chers parents,

Avec la saison froide revient la saison des poux. Cette année, votre école n'y a pas échappé.

Je vous demande de profiter de la fin de semaine qui vient pour inspecter la tête de votre

enfant. La sécurité de tous dépend de votre vigilance.

Voici la marche à suivre pour lutter contre ces ignobles parasites :

- laver les cheveux avec un shampoing contre les poux vendu en pharmacie ;

- peigner les cheveux de l'enfant avec un peigne fin ;

- laver les literies et tous les tissus pouvant contenir des lentes.

En terminant, j'aimerais vous rappeler que les élèves de notre établissement ne sont pas plus

sales qu'ailleurs. Ces bestioles s'attaquent à toutes les têtes !

J'espère donc vivement que les enfants qui seront épargnés ne se moqueront pas de leurs

malchanceux petits camarades.

Je compte sur votre participation.

L'infirmière de notre école, Céline, souhaite bonne chance à tous les parents.

André Gignac, votre directeur

Complément indirect (CI)

Voir aussi *complément direct (CD), groupe du verbe (GV)*.

1 Entoure les groupes du verbe qui contiennent un complément indirect, puis souligne en bleu le complément indirect.

a) Pour son mariage, notre classe a offert un cadeau à miss Lipton.

b) Miss Lipton et monsieur Trudel sont allés en Gaspésie.

c) Monsieur Trudel a pensé à ses élèves pendant tout son voyage de noces.

d) Il nous a envoyé des cartes postales tous les jours.

e) Adèle lui a répondu dans une longue lettre.

f) Longtemps, ils se souviendront de ce voyage.

g) Miss Lipton et monsieur Trudel habiteront à la campagne.

h) Ils iront à Rimouski la semaine prochaine.

i) Lulu leur a demandé combien d'enfants ils désiraient.

j) Miss Lipton était un peu gênée, elle ne lui a pas répondu.

k) « Ces enfants ressembleront sûrement à leurs parents », a dit Lancelot.

l) « Ce serait mieux qu'ils te ressemblent, peut-être ? » a murmuré Lulu.

m) « Tu commences à nous énerver », a ajouté Ursule.

n) « Mêlez-vous de vos affaires ! », a conclu Lancelot.

Conjugaison

1   Écris dans les parenthèses le mode, le temps, la personne et le nombre du verbe souligné.

a) Nous <u>sommes</u> lundi.

(....)

b) Amédée, <u>as</u>-tu <u>terminé</u> ton travail ?

(....)

c) Quand <u>cesserez</u>-vous de faire les clowns, toi et Amédée ?

(....)

d) Si je m'écoutais, je te <u>demanderais</u> de venir en retenue.

(....)

e) Il faut que ton attitude <u>change</u> !

(....)

f) Si tu <u>voulais</u>, Louis et Adèle te serviraient d'exemple !

(....)

g) <u>Viens</u> me voir à la récréation.

(....)

h) Lancelot s'excusa et promit de faire un effort.

(....)

i) Lancelot déteste l'école.

(....)

j) Il n'a jamais fini ses devoirs.

(....)

k) Je ne saurai jamais rien, dit-il souvent.

(....)

l) Si j'avais le choix, je resterais tout le temps dans mon lit.

(....)

m) Si nous restions tous dans nos lits, la vie serait misérable !

(....)

n) Il faudrait qu'il comprenne qu'il devrait faire un effort !

(....)

2 Ajoute le ou les pronoms personnels qui conviennent.

.... aime	.... finis	.... mets
.... cuis	.... pars	.... viens
.... rends	.... prends	.... ai
.... suis	.... vais	.... dois
.... peux	.... sais	.... veux
.... chantes	.... rougis	.... permets
.... joue	.... obéit	.... promet
.... trouvent	.... vient	.... va
.... jouerai	.... puniras	.... mentirons
.... terminerai	.... choisirais	.... rendraient
.... savais	.... voulais	.... venaient
.... terminions	.... sortiriez	.... mettiez
que .... parte	que .... arrives	qu'........... viennent
.... devrais	.... aimerait	.... irais
.... finirai	.... pourraient	.... voudront
.... met	.... rend	.... mens
.... agissais	.... ressentait	.... boirons

3 Ajoute les finales de la 1re personne du singulier (**-e, -s, -ai** ou **-x**).

je fini_____	je met_____	je cui_____	je par_____
je rend_____	je prend_____	je peu_____	je vien_____
je veu_____	je vai_____	je doi_____	je sui_____
je sai_____	je boi_____	j'agi_____	je condui_____
j'aimer_____	je mettr_____	j'ir_____	je ser_____
je finir_____	je partir_____	je saur_____	je vendr_____
j'aimai_____	je finissai_____	je mettai_____	je cuisai_____
je pouvai_____	j'allai_____	je venai_____	je savai_____
je chanterai_____	j'attendrai_____	je prendrai_____	je serai_____
que je jou_____	que je soi_____	que j'ai_____	que je rend_____
que j'aill_____	que je doiv_____	que je veuill_____	que je sach_____
que je prenn_____	que je puiss_____	que je finiss_____	que je boiv_____

4 Ajoute les finales de la 1re personne du pluriel (**-ons** ou **-es**).

nous finiss_____	nous mett_____	nous pouv_____	nous part_____
nous sav_____	nous all_____	nous agiss_____	nous ven_____
nous finir_____	nous mettr_____	nous ir_____	nous conduis_____
nous pouvi_____	nous alli_____	nous veni_____	nous ser_____
nous chanteri_____	nous attendri_____	nous prendri_____	nous seri_____
que nous joui_____	que nous soy_____	que nous ay_____	nous somm_____

5 Ajoute les finales de la 2ᵉ personne du singulier (**-s**, **-x**, **-e** ou **-a**).

tu fini_____	tu met_____	tu cui_____	tu par_____
tu rend_____	tu prend_____	tu peu_____	tu vien_____
tu veu_____	tu va_____	tu doi_____	tu sui_____
tu sai_____	tu boi_____	tu agi_____	tu condui_____
tu aimera_____	tu mettra_____	tu ira_____	tu sera_____
tu finira_____	tu partira_____	tu saura_____	tu vendra_____
tu aimai_____	tu finissai_____	tu mettai_____	tu cuisai_____
tu pouvai_____	tu allai_____	tu venai_____	tu savai_____
tu chanterai_____	tu attendrai_____	tu prendrai_____	tu serai_____
que tu joue_____	que tu soi_____	que tu aie_____	que tu rende_____
que tu aille_____	que tu doive_____	que tu veuille_____	que tu sache_____
aim_____	écout_____	ai_____	chant_____
v_____	fini_____	agi_____	condui_____
met_____	soi_____	prend_____	vien_____

6 Ajoute les finales de la 2ᵉ personne du pluriel (**-ez** ou **-es**).

vous finiss_____	vous mett_____	vous pouv_____	vous part_____
vous sav_____	vous all_____	vous agiss_____	vous ven_____
vous êt_____	vous mettri_____	vous ir_____	vous conduis_____
sach_____	ay_____	soy_____	ven_____
que vous joui_____	que vous vouli_____	que vous ay_____	vous seri_____

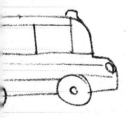

7   Ajoute les finales de la 3ᵉ personne du singulier (**-e**, **-a**, **-t** ou **-d**).

elle appell_____	elle appel_____	elle achèt_____	elle achet_____
elle fini_____	elle me_____	il cui_____	elle par_____
elle ren_____	il pren_____	il peu_____	il vien_____
elle veu_____	il v_____	elle doi_____	elle sui_____
elle sai_____	elle boi_____	elle agi_____	il condui_____
il sor_____	il devien_____	il men_____	il sen_____
il atten_____	il mor_____	il per_____	elle préten_____
elle compren_____	il enten_____	il repren_____	elle descen_____
elle finir_____	il partir_____	il ir_____	il vendr_____
elle aimai_____	il finissai_____	elle mettai_____	il savai_____
elle chanterai_____	elle attendrai_____	elle prendrai_____	elle serai_____
qu'elle jou_____	qu'elle soi_____	qu'il ai_____	qu'il rend_____
qu'il aill_____	qu'elle doiv_____	qu'elle veuill_____	qu'elle sach_____
il eu_____	elle fu_____	elle voulu_____	il bu_____
elle sorti_____	il appri_____	elle entendi_____	elle conduisi_____

8   Ajoute les finales de la 3ᵉ personne du pluriel (**-ent** ou **-ont**).

ils aim_____	ils finissai_____	ils devrai_____	elles voulur_____
qu'elles mett_____	ils v_____	elles chanter_____	elles vend_____
elles ser_____	elles rendr_____	elles ir_____	ils conduis_____
ils aimèr_____	elles finiss_____	ils mettr_____	ils rend_____
qu'ils aim_____	qu'elles finiss_____	qu'elles rend_____	qu'ils soi_____

Déterminant

Voir aussi accord dans le groupe du nom, groupe du nom (GN).

 Souligne les déterminants.

Les élèves doivent faire une recherche sur un animal de leur choix. Ce travail doit être remis au professeur le vendredi vingt-deux octobre. Toutes les équipes ont été formées quand Adèle Nobel était absente. Elle n'a donc pas pu choisir sa coéquipière et elle s'est retrouvée avec Joséphine. Quelle mauvaise nouvelle pour Adèle ! Chaque fois qu'on est dans l'équipe de Joséphine, on se retrouve à faire tout le travail. Et puis quel animal choisir ? Joséphine est toujours dans la lune. Parfois, elle n'a aucune idée ; d'autres fois, elle a vraiment de drôles d'idées.

Adèle est un peu découragée. Ce matin, elle a travaillé pendant une heure avec Joséphine. Tous ces efforts n'ont encore donné aucun résultat. Joséphine a bien donné quelques suggestions : « Mes cousins ont un chien, on pourrait faire notre recherche sur les chiens. Ma mère a peur des souris, l'autre jour, elle en a vu trois dans la cave. Mon père a cassé ses lunettes en essayant de les attraper. » Adèle se dit qu'il y aura sans doute au moins quinze recherches sur les chiens et que si Joséphine parle sans arrêt des aventures de ses parents, leur travail ne sera certainement pas prêt le vingt-deux octobre.

Dictionnaire

1 Pour chaque article de dictionnaire, réponds aux questions.

CHOPINE *n. f.*

1. Unité de mesure de capacité pour les liquides correspondant à 0,568 litre ou à une demi-pinte. *Une chopine de crème.*
2. (FAM.) Bouteille.

Marie-Éva de Villers, *Multidictionnaire de la langue française*, Montréal, Québec Amérique, 2003.

a) À quelle classe appartient le mot **chopine** ? _____

b) Quel est le genre du mot **chopine** ? _____

c) Combien de sens a le mot **chopine** ? _____

d) Quel est le sens familier du mot **chopine** ? _____

TIMBRÉ, ÉE *adj.*

1. Affranchi. *Une enveloppe timbrée.*
2. (FAM.) Légèrement fou. *Je crois qu'elle est un peu timbrée.* SYN. (FAM.) cinglé ; dingue.

Marie-Éva de Villers, *Multidictionnaire de la langue française*, Montréal, Québec Amérique, 2003.

a) À quelle classe appartient le mot **timbré** ? _____

b) Comment s'écrit le mot **timbré** au féminin ? _____

c) Combien de sens a le mot **timbré** ? _____

d) Quel est le sens familier du mot **timbré** ? _____

e) Donne un synonyme du mot **timbré**.

f) Quel exemple est donné pour le premier sens du mot **timbré** ? _____

Élision

1 Complète les groupes de mots en choisissant dans les parenthèses le mot qui convient.

(le, l') .... excursion

(la, l') .... obscurité

(le, l') .... hiver

(la, l') .... histoire

(le, l') .... haricot

(le, l') .... hérisson

(je, j') .... arrive

(te, t') il .... oublie

(ne, n') il .... ira pas

(de, d') .... habitude

(que, qu') .... importe

(jusque, jusqu') ici

(lorsque, lorsqu') .... il pleut

(lorsque, lorsqu') .... je chante

(si, s') .... il veut

(si, s') .... tu veux

(le, l') .... escalier

(le, l') .... univers

(la, l') .... habitation

(le, l') .... habit

(le, l') .... hibou

(la, l') .... hauteur

(me, m') il .... harcèle

(se, s') il .... habitue

(ne, n') elle .... héberge pas

(de, d') .... hauteur

(ce, c') .... est

(jusque, jusqu') .... là

(lorsque, lorsqu') .... on part

(lorsque, lorsqu') .... un jour

(si, s') .... elle veut

(si, s') .... il arrive

Forme positive et forme négative

Voir aussi *types de phrases.*

Complète le tableau.

Forme positive	Forme négative
C'est la bousculade à la cafétéria.	
	Lancelot, ne laisse pas passer Lulu !
Je mangerai cette bouillie.	
J'ai encore faim.	
	Je n'ai plus soif.
On mange toujours la même chose.	
	Je n'ai jamais refusé de m'asseoir avec elle.
Tout le monde mange lentement.	

Genre

Entoure les noms masculins en bleu et les noms féminins en rouge.

équerre	oasis	invitée	mulet
éventail	orbite	favori	habit
hôpital	ours	armoire	éclair
horloge	Grec	agrafe	ascenseur
ourse	escalier	astérisque	invité
icône	amnistie	oreiller	Grecque
abîme	frisé	habitué	autoroute
ancre	agrume	exemple	artère
air	météorite	incendie	épiderme
orchestre	Turc	ambulance	habituée
frisée	astuce	orage	Turque
favorite	avion	autobus	ouvrage

2 Écris les groupes du nom au féminin.

Un cousin impatient

Un élève chanceux

Un époux gentil

Un écolier incompris

Un bon farceur

Un directeur muet

Un chien sot

Un Grec coquet

Un jumeau discret

Un pareil sot

Un frère nul

Un acheteur compulsif

Un prince brave

Un Turc sportif

Un nouveau cheval

Un meilleur ami

Un frère indiscret

Groupe du nom (GN)

Voir aussi accord dans le groupe du nom, complément du nom, nom.

1   **Entoure en bleu les GN et souligne en rouge leur noyau.**

À la récréation du matin, une terrible chicane a éclaté. Tous les élèves de la classe s'en sont

mêlés ! Voilà comment tout a commencé : Gonzales avait apporté le magnifique ballon de

soccer que son père lui avait rapporté du Brésil. Louis et Gonzales ont proposé de faire une

petite partie avant de rentrer. Tout le monde était d'accord, même Olga. C'est pourtant une

fille timide. Elle donne rarement son opinion. Tout ça pour dire que l'enthousiasme était grand.

Quand il a fallu faire les équipes, ça s'est relativement bien passé. On a fait un tirage

au sort pour que personne ne bougonne. Charles-Antoine s'est retrouvé dans l'équipe de

Gonzales et il a fait un petit sourire en coin en regardant Serge, l'air de dire « Moi, je suis

un chanceux, moi je suis un chanceux ! », mais Serge ne l'a pas vu et cela n'a eu aucune

conséquence.

Dès la mise au jeu, Gonzales a pris le contrôle du jeu. Il a fait une magnifique passe à Louis.

Celui-ci a tenté de dribbler, mais il a perdu le ballon et l'équipe adverse en a profité pour

marquer un but. Dans l'équipe de Gonzales, l'atmosphère s'est aussitôt refroidie. Il y avait

de la tension dans l'air : Lancelot est très gentil, mais il déteste perdre.

Et puis il s'est mis à pleuvoir. Une petite pluie fine qui vous transperçait les os. Comme il ne restait plus que quelques minutes avant la fin de la récréation, nous nous sommes dépêchés de reprendre le jeu.

C'est là que Lancelot a bousculé Joséphine. Je ne sais pas pour quelle raison. La pauvre fille est tombée de tout son long dans une flaque d'eau. Elle était complètement trempée. Elle s'est mise à hurler et à crier après Lancelot :

« Tu ne peux pas faire attention, espèce de bulldozer ! Maintenant, mes chaussettes sont toutes mouillées, mon pantalon neuf est déchiré et j'ai perdu mes clés dans la boue. Qu'est-ce que je vais faire ? Ma mère va me chicaner ! » Et elle s'est mise à verser toutes les larmes de son corps.

Si Lancelot lui avait présenté des excuses, peut-être Joséphine se serait-elle calmée. Mais non, cet orgueilleux garçon la regardait d'un air idiot. Cela a mis Lulu hors d'elle. Lulu est la meilleure amie de Joséphine. Donc, Lulu a pris la défense de Joséphine. Puis, Louis leur a dit d'arrêter de faire des histoires avec rien et la situation s'est rapidement envenimée. Tout le monde s'est mis à insulter tout le monde. C'est alors que la cloche a sonné. Chacun est rentré dans la classe en maugréant.

Groupe du verbe (GV)

Voir aussi *accord du verbe, attribut du sujet, complément direct (CD), complément indirect (CI), verbe.*

1 Entoure les groupes du verbe, souligne leur noyau (le verbe conjugué), puis classe-les dans le tableau de la page suivante.

Aujourd'hui, monsieur Lebel est mélancolique. Il finit sa dernière semaine de travail.

En effet, il prend sa retraite cette année. Lancelot et Amédée lui ont composé une ballade.

Ils la chantent après la récréation de l'après-midi. Les paroles sont complètement nulles,

mais monsieur Lebel paraît très touché. Après la chanson, Lulu et Adèle Nobel se lèvent.

Elles lui récitent un petit poème.

Pour la première fois de l'année,

Cher Monsieur Lebel,

Nous voudrions vous appeler Marcel.

Très cher Marcel,

Aujourd'hui, vous avez soufflé

Vos soixante-six chandelles.

Vous emporterez des souvenirs à la pelle.

Vous les évoquerez en faisant la vaisselle.

Nous avons appris à épeler, à compter, à écouter.

Nous vous garderons une gratitude éternelle.

Monsieur Lebel a les larmes aux yeux. Il bredouille quelque chose. Il sort.

Dans le couloir, on l'entend trompeter dans son mouchoir.

Constructions du GV	Groupes du verbe (GV)
verbe conjugué seul	
verbe + attribut	
verbe + complément direct	
verbe + complément indirect	
verbe + complément direct + complément indirect	

Groupe sujet (GS)

Voir aussi accord du verbe, groupe du nom (GN), groupe du verbe (GV), pronom.

1 Dans le texte suivant, entoure les groupes sujets, puis classe-les dans le tableau de la page suivante.

En ce vendredi matin frisquet de janvier, une grosse nouvelle nous attendait. Gonzales nous quitte pour quelques jours. Il sera absent toute la semaine prochaine.

La direction de l'école lui a accordé une permission spéciale. Son équipe de hockey participera au tournoi international pee-wee de Québec. Il était très fier. À ce tournoi se rencontrent les meilleures équipes du monde. Son père, sa mère et sa petite sœur Pia l'accompagneront.

« Espèce de gros chanceux ! » a chuchoté Amédée, un peu jaloux. Lulu a mis dans la main de Gonzales un porte-bonheur, un trèfle à quatre feuilles que son oncle lui a rapporté d'Irlande. Ursule a voulu lui donner son hamster qu'elle a toujours dans sa poche, mais il a refusé en souriant.

« Pourrais-tu marquer un but pour ta camarade Joséphine qui est présentement à l'hôpital ? » lui a demandé monsieur Lebel en ajoutant : « N'oublie pas d'apporter tes devoirs pour la semaine. »

Constructions du GS	Groupes sujets (GS)
un GN	
plusieurs GN	
un pronom	

Homophones : a, à

1 Complète les textes par **a** ou **à**.

a) _____ la récréation du matin, Charles-Antoine _____ trébuché en jouant au ballon chasseur. Il _____ dû aller _____ l'infirmerie. Il _____ manqué toute la dernière période.

b) Monsieur Gignac, notre directeur, _____ un orgelet depuis hier. « Il est _____ prendre avec des pincettes », nous _____ dit la secrétaire.

c) La cloche sonne normalement _____ 11 h 50. Aujourd'hui, elle n'_____ pas sonné. _____ midi, Amédée _____ dit : « Monsieur, j'ai faim. Est-ce que je peux commencer _____ manger dans la classe ? »

d) Nous nous précipitons _____ la cafétéria. Il n'y _____ évidemment plus de place de libre, excepté _____ côté de Charles-Antoine.

e) Charles-Antoine mange toujours tout seul dans son coin _____ la cafétéria. C'est la première fois que je m'assois _____ côté de lui. _____ part son côté un peu snob, il est très gentil.

f) Il a réussi _____ me faire rire quand il m'_____ dit qu'il _____ fait exprès de se blesser _____ la jambe ce matin _____ la récréation. « Je voulais rentrer _____ la maison, mais ma mère n'_____ pas voulu », _____-t-il dit, un peu triste.

Homophones : ce, se

1 Complète le texte par **ce** ou **se**.

« _____ qui est sûr, a dit Octave, c'est que _____ n'est pas de ma faute. Il _____ plaint

pour rien, _____ Charles-Antoine. Et puis, _____ soir, il ne _____ rappellera plus _____

qui s'est passé ! »

Charles-Antoine est le souffre-douleur de la classe. À cause de _____ côté un peu snob,

Charles-Antoine _____ met à dos tous ses camarades de classes. Amédée n'arrête jamais

de _____ moquer de lui. Encore _____ matin, Lancelot a mis une gomme sur sa chaise.

Si par hasard _____ forme une équipe dans la classe, Charles-Antoine est toujours choisi

le dernier et _____ retrouve souvent seul.

À _____ sujet, Charles-Antoine _____ met dans des situations qui très souvent _____

retournent contre lui. Vous vous souvenez de _____ jour où il a insulté _____ monsieur

en fauteuil roulant qui n'arrivait pas à _____ débrouiller tout seul pour traverser la rue.

_____ qu'il ne savait pas, _____ pauvre Charles-Antoine, c'est que _____ monsieur était

le mari de Julie, l'infirmière de l'école. Je ne vous dis pas _____ qui est arrivé le lendemain

quand Charles-Antoine s'est présenté à l'infirmerie en pleurant et a voulu _____ faire

consoler par Julie.

Homophones : ces, ses, c'est, s'est

1 Complète les textes par **ces**, **ses**, **c'est** ou **s'est**.

a) Demain, _____ l'Halloween. Puisque Charles-Antoine _____ blessé, _____ parents voulaient la passer pour lui. Charles-Antoine _____ fâché. Sa mère _____ donc dépêchée de lui trouver un fauteuil roulant et elle _____ arrangée avec la mère d'Octave et d'Ursule pour que _____ derniers l'accompagnent.

b) La petite sœur d'Adèle _____ déguisée en aspirateur. _____ parents expliquaient à tout le monde que _____ un déguisement comme les autres, que _____ même plus beau que _____ squelettes jaunes.

c) _____ quel jour l'Halloween, cette année ? _____ un jeudi, je crois. Ma grand-mère dit que _____ le plus beau jour de l'année pour _____ enfants qui n'ont pas le droit de manger de bonbons les autres jours.

d) Monsieur Lebel _____ encore déguisé cette année en clochard. _____ enfants, _____ amis et _____ connaissances n'arrêtent pas de rire de lui. Même sa femme _____ moquée de _____ pantalons déchirés. « Tu as l'air de _____ espèces d'épouvantails à moineaux que l'on voit dans les champs de maïs. »

Homophones : la, l'a, là

1 Complète le texte par **la**, **l'a** ou **là**.

Assis à _____ table du fond de _____ cafétéria, Octave fouille dans son sac à dos. Tiens,

sa boîte à lunch n'est pas _____. Pourtant, il voit sa mère, ce matin, dans _____ cuisine,

_____ mettre dans son sac. Il ne sait pas encore que c'est Omar qui _____ prise pour lui

jouer un mauvais tour. Arrive alors Omar, un sourire fendu jusqu'aux oreilles, qui _____ pose

tranquillement sur _____ table. Octave ne _____ pas trouvé drôle, mais pas drôle du tout.

Durant tout l'après-midi, _____ vengeance brille dans les yeux d'Octave. Il sait qu'Omar

a _____ clef de _____ maison de sa grand-mère dans _____ poche arrière de son pantalon.

Omar _____ palpe souvent pour vérifier s'il _____ toujours sur lui. Octave _____ vu faire

ce geste des centaines de fois. Mais comment _____ prendre sans qu'Omar s'en aperçoive ?

C'est _____ toute _____ difficulté. Il pense soudain qu'il pourra _____ prendre dans le

vestiaire pendant le cours d'éducation physique. C'est à ce moment-_____ que monsieur

Lebel annonce que _____ période d'éducation physique sera supprimée ce jour-_____

parce que le professeur a _____ grippe.

Homophones : ma, m'a

1 Complète les textes par **ma** ou **m'a**.

a) _____ voisine est très énervante. Elle regarde tout le temps sur _____ feuille. Hier, elle _____ même dit de déplacer _____ main parce qu'elle voyait mal _____ première phrase. Elle _____ tellement déconcentré que j'ai raté _____ production écrite. Je lui ai dit _____ façon de penser à la sortie de l'école. J'étais alors sur _____ bicyclette et je lui ai crié : « _____ très chère Joséphine, tu es très énervante... » Elle ne _____ pas écouté une seconde, elle _____ tiré la langue et elle _____ abandonné là au beau milieu de la cour.

b) _____ est formé à partir du pronom personnel **m'** et du verbe **avoir** à la 3e personne du singulier de l'indicatif présent. On écrit _____ quand on peut le remplacer par **m'avait**. _____ est un déterminant. Il accompagne toujours un nom. On écrit _____ quand on peut le remplacer par **sa**.

Exemple : Elle _____ tellement déconcentré que j'ai raté _____ production écrite.
      *Elle **m'avait** tellement déconcentré que j'ai raté **sa** production écrite.*

Homophones : mes, mais

1 Complète le texte par **mes** ou **mais**.

Je n'ai pas fait _____ devoirs, _____ ce n'est pas de ma faute. _____ parents

voulaient que je nettoie la cage de _____ hamsters et que je ramasse les dégâts de

_____ souris, elles avaient mangé le bout de _____ mitaines. Ensuite, j'ai donné à

manger à _____ chats, à _____ chiens et à _____ perruches.

Quand j'ai pu penser à _____ devoirs, j'ai fouillé dans _____ affaires, _____ je n'ai

rien trouvé si ce n'est _____ poupées et _____ déguisements de sorcières. Je me suis

déguisée, j'ai joué un peu avec _____ poupées, j'ai essayé d'apprendre quelques mots à

_____ perruches.

Et puis, j'ai repensé à _____ devoirs. J'ai demandé à _____ deux grands frères s'ils

pouvaient m'aider, _____ ils étaient trop occupés. J'ai téléphoné à toutes _____ amies,

_____ elles n'avaient pas le temps de me dépanner.

_____ grands-parents sont venus souper. Ils voulaient m'aider, _____ je me suis alors

souvenu que _____ livres étaient restés à l'école, dans mon casier, sous _____ affaires

d'éducation physique.

Homophones : mon, m'ont

1 Complète le texte par **mon** ou **m'ont**.

Hélas est malade. _____ père l'a emmené chez _____ oncle qui est vétérinaire.

Ils _____ dit de ne pas m'inquiéter. _____ pauvre chien va devoir rester là quelques

jours, mais ils _____ promis qu'il sera revenu à la maison pour _____ anniversaire.

Ils ne _____ pas dit ce qu'il avait. J'espère qu'ils ne _____ pas raconté d'histoires.

Je n'arrive pas à me concentrer sur _____ travail. Je pense sans arrêt à _____ petit

chien tout seul chez _____ oncle. Adèle et Ursule _____ encouragée. Elles

_____ répété toute la journée que _____ cher Hélas allait sûrement s'en tirer.

Elles _____ aidée à faire _____ problème de math, mais maintenant, il faut que

j'apprenne _____ poème, je ne peux pas demander à _____ amie Adèle de le faire

pour moi. Je voudrais bien aller dormir à la clinique, mais _____ père et ma mère ne

veulent pas en entendre parler. Ils _____ déclaré que cela ne servirait à rien. Ils

_____ conseillé de penser à autre chose. Penser à autre chose ? _____ cerveau est

poursuivi par l'image de _____ malheureux Hélas en train de gémir.

Finalement, quand _____ père a vu _____ air désespéré, il m'a proposé d'aller voir

comment se porte _____ chien. Il dormait tranquillement. _____ oncle et son

assistante _____ dit qu'il allait déjà beaucoup mieux.

Marqueur de relation

1. Complète chaque texte par les marqueurs de relation de la liste.

a) **comme – d'abord – devant – donc – enfin**
   ensuite – et – hier – mais – ou – parce qu'

_____, ce fut une journée éprouvante pour le remplaçant. _____,

il ne s'est pas réveillé. Il n'avait pas entendu son réveil _____ il avait oublié

de le brancher. Il est _____ arrivé en retard. _____, il a glissé

_____ a fait le grand écart _____ tout le monde. _____,

le concierge l'a confondu avec un élève _____ l'a sermonné _____

du poisson pourri _____ il avait marché sur son plancher frais lavé. Il pensait

en avoir fini, _____ Lancelot et Amédée ont été exécrables !

b) **troisièmement – finalement – premièrement**
   ou – deuxièmement – derrière – cependant

_____, ils ont fait des petits bruits avec leurs lèvres. _____,

ils ont fait crier Lulu en lui tirant les tresses. _____, ils ont fabriqué des

avions en papier qu'ils lançaient _____ eux. Le remplaçant ne les a pas

vus _____ il a fait semblant de ne pas les voir. Il avait l'air découragé,

_____ il n'a rien dit. _____, il nous a donné congé de devoirs.

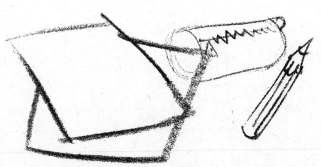

Nom

Voir aussi accord dans le groupe du nom, groupe du nom (GN).

 Souligne les noms communs en rouge et les noms propres en bleu.

Chers parents,

J'ai le plaisir de vous annoncer que la classe de monsieur Lebel organise un échange culturel avec des élèves de l'école Saint-Vincent, de la ville de Gruyères, en Suisse. Ce sera une belle occasion pour nos petits Québécois de rencontrer des petits Suisses. Nous sommes donc à la recherche de familles qui accepteraient de loger un ou deux enfants pendant deux semaines au mois de février. Si vous êtes intéressés, veuillez en aviser monsieur Lebel par téléphone ou par l'entremise de votre enfant.

Au printemps de l'année prochaine, ce sera au tour de nos élèves de partir pour un long voyage. Je profite donc de cette lettre pour en aviser les parents. Ceux qui le désirent pourront envoyer leur jeune en Europe. Nos enfants visiteront Paris, en France — sa cathédrale Notre-Dame, son musée du Louvre — ainsi que Versailles et son château.
Une collecte est déjà organisée, afin que tous puissent participer à cette enrichissante activité, quels que soient leurs moyens financiers.

Merci de votre collaboration.

André Gignac, votre directeur

Nombre

1 Écris les groupes du nom au pluriel.

Un élève gentil

_____

Un professeur intéressant

_____

Un cheval original

_____

Une fille originale

_____

Un orignal amical

_____

Un animal calme

_____

Un récital original

_____

Un grand bal

_____

Un événement banal

_____

Un noyau dur

_____

Un manteau chaud

_____

Un gâteau raté

_____

Un pneu crevé

_____

Un beau sarrau

_____

Un bateau bleu

_____

Une eau boueuse

_____

Un nouveau joujou

_____

Un feu éteint

_____

Un pays natal

Un clou tordu

Un nez épais

Un matou frileux

Un prix bas

Un gros hibou

Un frère curieux

Un petit chou

Un garçon furieux

Un énorme pou

Un bijou doré

Un détail bizarre

Un trou profond

Un portail ouvert

Un véritable fou

Un éventail rouge

Un caillou gris

Un travail matinal

Un genou sale

Un œil fermé

Participe passé

Voir aussi accord du participe passé, conjugaison.

1   Écris les verbes suivants au participe passé.

aimer : _____

aller : _____

finir : _____

rougir : _____

partir : _____

venir : _____

devenir : _____

mettre : _____

remettre : _____

cuire : _____

dire : _____

rendre : _____

prendre : _____

avoir : _____

vouloir : _____

faire : _____

chanter : _____

écouter : _____

réussir : _____

choisir : _____

sortir : _____

tenir : _____

retenir : _____

permettre : _____

promettre : _____

conduire : _____

écrire : _____

vendre : _____

apprendre : _____

être : _____

pouvoir : _____

ouvrir : _____

2 Souligne les participes passés.

Cher Monsieur Lebel,

Voudriez-vous autoriser ma fille Olga à manquer la première période, demain matin ?
Elle est allée chez son dentiste, qui nous a conseillé de lui faire mettre des broches,
car elle a les dents un peu écartées. Elle est attendue chez l'orthodontiste à 9 h. Je suis
désolée, mais je n'ai pas réussi à obtenir un rendez-vous en dehors des heures d'école.
Olga devrait être arrivée en classe avant 10 h 30.

Par ailleurs, Olga m'a promis qu'elle allait beaucoup travailler ces prochains jours pour
rattraper le retard que lui aura causé cette absence. Son amie Adèle lui a dit qu'elle lui
expliquerait ce qu'elle aura manqué. Après quelques heures passées à étudier, je pense
qu'elle aura tout rattrapé.

Je vous remercie de votre compréhension toujours appréciée.

Natacha Boutenko-Lévesque

3 Complète les verbes par **-é**, **-ée** ou **-er**.

Olga a pass_____ une bonne heure chez l'orthodontiste. Elle est oblig_____ finalement

de port_____ des broches. Quand la visite s'est termin_____, Olga était décourag_____.

Elle a beaucoup pleur_____ parce qu'elle est persuad_____ que tout le monde va se

moqu_____ d'elle. Elle a imagin_____ Amédée en train de la regard_____ en faisant

la grimace. Elle s'est rappel_____ que Lancelot n'a pas arrêt_____ de l'embêt_____ depuis

le début de l'année. Elle s'est dit qu'avec les broches qu'elle va devoir port_____, cela va être

cinquante fois pire. Elle a pens_____ qu'elle n'osera jamais retourn_____ à l'école. Elle ne

pourrait jamais le support_____.

Alors, elle a demand_____ à sa mère si elle pouvait chang_____ d'école. Sa mère n'a pas

voulu en entendre parl_____. Elle lui a expliqu_____ qu'il fallait être courageuse, que la vie

était parfois compliqu_____, mais qu'elle devait l'accept_____. D'après sa mère, elle

allait finir par s'habitu_____. Elle lui a répét_____ qu'elle devrait être moins gên_____.

Finalement, comme Olga n'arrivait pas à se calm_____, sa mère l'a serr_____ dans ses

bras et lui a dit : « Allons, allons, tes amis vont t'encourag_____. Il n'y a pas que Lancelot

et Amédée dans ta classe. Il y a d'autres enfants. Je peux t'assur_____ qu'ils feront tout

pour te protég_____.

Ponctuation

 Dans le texte suivant, ajoute la ponctuation.

Serge le fils du concierge connaît l'école comme sa poche Il peut vous dire où sont rangés les réserves de la cuisinière les fournitures de bureau de la secrétaire les produits d'entretien de son père ou les décorations de Noël

L'autre jour Lancelot et Amédée ne voulaient pas aller au cours de musique

Lancelot et Amédée venez vite leur a dit Serge je vous emmène dans mon repaire secret

Ils l'ont suivi à la cave avec quelques hésitations mais ils ne l'ont pas regretté

Ils se sont retrouvés dans un énorme placard rempli de nourriture

Qu'est-ce que je vous avais dit a déclaré Serge fièrement

C'est vrai que c'est agréable a admis Amédée

Soudain la porte s'est ouverte brusquement La cuisinière qui ne les avait pas reconnus s'est mise à hurler Au voleur Au secours À l'aide À moi

Le concierge le père de Serge est arrivé immédiatement Quand il a aperçu les garçons il est devenu rouge de colère Il a dit à son fils Est-ce toi qui as entraîné tes camarades ici C'est inadmissible Je ne peux pas te faire confiance La semaine prochaine tu seras privé de télévision d'ordinateur de sorties et de bonbons

Préfixes et suffixes

1   Souligne les préfixes en rouge et les suffixes en bleu.

désobéir	déranger	désordre	désespéré
impatient	incroyable	illogique	irrégulier
préhistoire	prénom	prévoir	prédire
recommencer	refaire	relire	renaître
malhabile	malchance	malheur	parapluie
glissade	patinage	chanteur	confortable
baignoire	possible	national	personnel

2   Complète les mots par le préfixe ou le suffixe qui convient.

dé-	en-	in-	mal-	para-	re-	-if
-able	-ade	-al	-el	-eur	-ible	-oir

_____visible   _____donner   _____adresse   _____cercler

_____tonnerre   _____partir   _____vent   _____colorer

galop_____   malad_____   longu_____   intestin_____

inconsol_____   perch_____   annu_____   divis_____

_____adroit   craint_____   _____fini   pêch_____

Préposition

1 Complète le texte par les prépositions de la liste.

à, après, avant, avec, chez, dans, d', de, depuis, en, par, pour, sans, sur

_____ l'an dernier, nous préparons vos enfants _____ cet événement. En effet, une classe verte aura lieu _____ Saint-Ferréol-les-Neiges _____ mai prochain.

C'est _____ grand plaisir que les professeurs _____ 5ᵉ année et monsieur Trudel, professeur _____ éducation physique, accompagneront nos élèves. Les enfants seront logés _____ madame Carignan, qui mettra _____ notre disposition son grand chalet situé _____ le rivage _____ la rivière des Roches.

_____ quelques jours passés _____ cette maison _____ eau courante et _____ électricité, nos élèves apprécieront mieux le confort moderne.

_____ organiser tout ça, nous avons besoin _____ votre accord. Donc, si vous désirez que votre jeune participe _____ ces trois journées, nous vous prions _____ nous faire parvenir votre autorisation _____ l'entremise _____ votre enfant _____ le 15 novembre.

Merci _____ votre collaboration.

André Gignac, votre directeur

Pronom

1 Dans chaque phrase, souligne le mot ou le groupe de mots remplacé par le pronom en gras.

a) Gonzales attend Octave. **Il** commence à s'impatienter.

b) Lulu attend Octave. **Il** est en retard comme d'habitude.

c) Depuis une heure, Ursule attend Joséphine, **elle** commence à s'inquiéter.

d) Depuis une heure, Ursule attend Octave, **il** est pourtant toujours en avance.

e) Octave, **qui** avait oublié le rendez-vous, est arrivé quinze minutes en retard.

f) Octave et Lancelot, **qui** avaient oublié le rendez-vous, sont enfin arrivés.

g) Ce foulard **que** ma grand-mère m'a tricoté me pique le cou.

h) Ce garçon **dont** tu te moques est mon meilleur ami.

i) Gonzales a perdu le parapluie **que** sa mère lui avait donné.

j) Gonzales a demandé à Ursule si elle avait vu Octave. Elle **lui** a répondu qu'il parlait avec Lulu.

k) Gonzales a demandé à Ursule si elle avait vu Octave. Elle lui a répondu qu'**il** parlait avec Lulu.

l) Lulu a demandé à Ursule si elle avait vu Octave. Elle ne **lui** a pas répondu.

m) Comme Omar a perdu son parapluie, Octave lui a prêté **le sien**.

n) Comme Omar a perdu son parapluie, Octave lui a prêté **celui** de sa mère.

o) Miss Lipton a perdu son parapluie, elle ne sait vraiment pas où **il** est.

p) Miss Lipton a perdu son parapluie, **elle** ne sait vraiment pas où il est.

q) Lancelot n'a jamais de crayons, il prend toujours **les miens**.

r) Lancelot n'a jamais de crayons, je **lui** prête toujours les miens.

s) Joséphine n'a jamais de règle, **elle** prend toujours celle de sa voisine.

t) Joséphine n'a jamais de règle, elle prend toujours **celle** de sa voisine.

u) Joséphine n'a jamais de règle, elle prend toujours **la mienne**.

v) Monsieur Lebel distribue les bulletins aux élèves. **Il** a l'air fâché.

w) Monsieur Lebel distribue les bulletins aux élèves. **Tous** sont inquiets.

x) Monsieur Lebel distribue les bulletins aux élèves. **Certains** sont inquiets.

y) Monsieur Lebel distribue les bulletins aux élèves. **Ils** sont en général très mauvais.

z) Parmi les bulletins que monsieur Lebel distribue, seulement **quelques-uns** sont excellents.

2 Dans le texte suivant, souligne en rouge les pronoms, puis entoure en bleu ceux qui ne remplacent pas un mot ou un groupe de mots.

Enfin, tu arrives. Ce n'est pas trop tôt. Cela fait une heure que je suis ici à attendre sous la pluie ! Que faisais-tu ? J'ai vu Ursule qui sortait de l'école, je lui ai demandé où tu étais, elle t'a vue parler longtemps avec Lulu. Maintenant, tu es contente, je suis trempée. Passe-moi ton parapluie, j'ai perdu le mien. Et passe-moi ton imperméable, j'ai oublié le mien dans mon casier.

Je te le demande encore une dernière fois : où étais-tu ? Il n'y a rien que je déteste plus qu'une personne qui oublie un rendez-vous. Nous nous étions pourtant entendu hier au téléphone. Trois heures et demi, à la sortie de l'école, ce n'est pas assez clair pour toi ? Monsieur Lebel, qui sort toujours le dernier de l'école, vient juste de passer devant moi en courant. Il n'avait pas de parapluie lui non plus. Je lui ai demandé s'il t'avait vue. Il m'a dit oui, je crois, mais je n'ai pas bien entendu.

Qui parle ? Est-ce une fille ou un garçon ? À qui parle-t-elle ? Si c'est un garçon, à qui parle-t-il ? À une fille ou à un garçon ? On peut savoir la personne qui parle et à qui elle parle, si on lit attentivement la quatrième phrase du premier paragraphe : « Maintenant, tu es contente, je suis trempée ». La personne qui parle est donc une fille et la personne à qui elle parle est une autre fille.

Sens propre et sens figuré

1 Pour chaque mot souligné, indique dans les parenthèses s'il est au sens propre ou au sens figuré.

a) Le directeur est d'une humeur <u>glaciale</u>.   (...........................)

b) Un vent <u>glacial</u> souffle depuis ce matin.   (...........................)

c) Amédée <u>a attrapé</u> un rhume.   (...........................)

d) Omar <u>a attrapé</u> une mouche.   (...........................)

e) La nuit <u>tombe</u>.   (...........................)

f) Lulu <u>est tombée</u> près de l'escalier.   (...........................)

g) Ce bruit <u>court</u> depuis quelques jours.   (...........................)

h) Omar <u>boit</u> son jus en cachette.   (...........................)

i) Olga a le cœur <u>gros</u>.   (...........................)

j) Amédée a fait un <u>gros</u> trou dans mon sac.   (...........................)

k) Adèle <u>buvait</u> les paroles de monsieur Lebel.   (...........................)

l) Gonzales <u>court</u> très vite.   (...........................)

m) Je me <u>creuse</u> la tête pour pouvoir répondre.   (...........................)

n) Son chien Hélas <u>creuse</u> un trou dans le jardin.   (...........................)

o) À la cafétéria, on fait la <u>queue</u> pour se servir.   (...........................)

p) La <u>queue</u> de la souris d'Ursule dépasse de sa poche.   (...........................)

Synonymes et antonymes

 Complète le tableau.

Noms - adjectifs - verbes	Synonymes	Antonymes
aller		
allumer		
ami		
bon		
dispute		
donner		
gagner		
heureux		
monter		
peur		
savoir		
arriver		
beau		
petit		
peureux		
mensonge		
endormir		
pleurer		
malheur		

Types de phrases

Voir aussi forme positive et forme négative.

 Transforme les phrases déclaratives en phrases interrogatives et exclamatives.

Phrases déclaratives	Phrases interrogatives	Phrases exclamatives
Ils sont en beau fusil.		
Ce garçon est lent.		
Le professeur nous a donné un long devoir.		
Le concierge a bon caractère.		
Il a une drôle de face.		
Olga a le teint pâle.		
Amédée est énervant.		
Lulu est bavarde.		
Adèle aime la musique.		
Il a tort.		
Il a raison.		
Ursule a de jolies souris.		

2 Transforme les phrases déclaratives en phrases impératives.

Phrases déclaratives	Phrases impératives
Puisque c'est comme ça, tu rentres à la maison.	
Nous allons parler en paix.	
Vous ne revenez pas m'embêter.	
Tu arrives en avance.	
Nous allons nous promener.	
Vous m'attendez cinq minutes.	
Nous ne partons pas sans Lulu.	
Tu arrêtes de m'ennuyer.	

Verbe

Voir aussi accord du verbe, conjugaison.

 Dans le texte suivant, souligne les verbes.

Ce matin, Charles-Antoine arrive en retard à l'école. Il n'y a pas un chat dans la cour. Tous les élèves sont déjà rentrés. Il reste immobile devant la porte fermée. Il paraît complètement découragé. Il n'est pas habitué à être en retard, Charles-Antoine : qu'il vente ou qu'il neige, un taxi le dépose immanquablement à 7 h 55 devant la grille. Mais ce matin, le taxi n'était pas à l'heure. Charles-Antoine l'a attendu au moins quinze minutes devant la maison. D'ailleurs il était complètement gelé.

Ensuite, le chauffeur lui a dit qu'il ne connaissait pas le chemin pour aller à son école parce qu'il venait d'arriver dans la ville. Il lui a demandé de lui indiquer la route. Charles-Antoine s'est trompé, car il regarde rarement par la fenêtre quand on le conduit à l'école. Et puis, il habite assez loin. Finalement, le chauffeur a consulté un plan et ils ont fini par trouver l'école, mais avec beaucoup de retard.

« Qu'est-ce que je fais ? » se demande-t-il en sautant d'un pied sur l'autre.

C'est alors que le concierge apparaît dans la cour et le voit. Il l'appelle : « Ne reste pas là comme un piquet, mon garçon ! Viens avec moi, je vais t'accompagner en classe. Ton professeur ne te mangera certainement pas. »

MATHÉMATIQUE

Addition

 Effectue les additions.

358 042 + 257 + 12 654 = ...

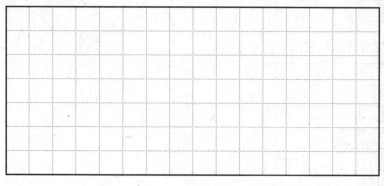

106 + 4 649 + 10 790 = ...

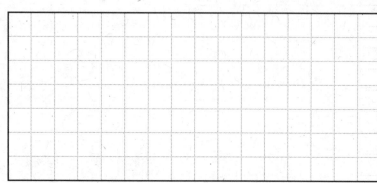

3 980 + 64 + 102 758 = ...

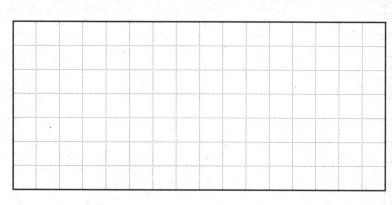

358 042 + 58 + 12 654 = ...

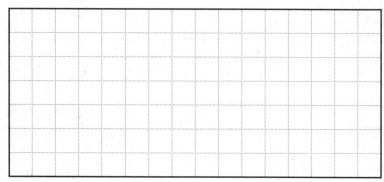

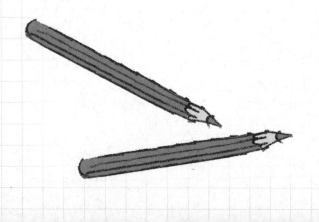

34,3 + 5,2 = _____

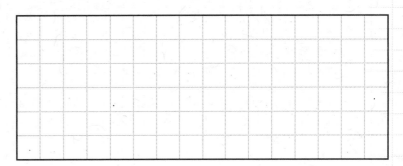

25,03 + 6,5 = _____

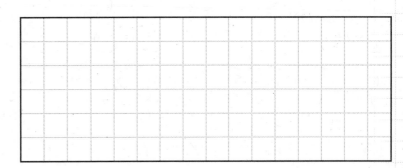

10,2 + 27,05 = _____

78,25 + 5,125 = _____

85,239 + 9,5 = _____

$\dfrac{1}{8} + \dfrac{3}{8} =$ _____

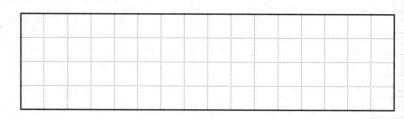

$\dfrac{3}{7} + \dfrac{1}{7} =$ _____

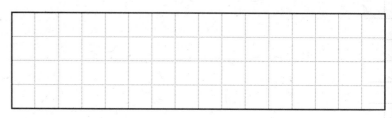

$\dfrac{2}{5} + \dfrac{1}{3} =$ _____

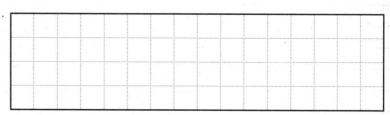

$\dfrac{1}{2} + \dfrac{3}{12} =$ _____

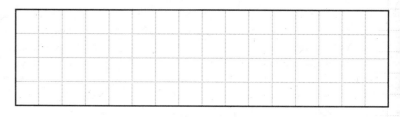

$\dfrac{3}{4} + \dfrac{2}{3} =$ _____

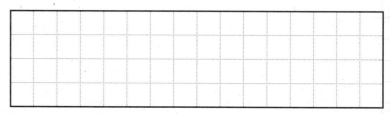

$\dfrac{3}{4} + \dfrac{1}{8} =$ _____

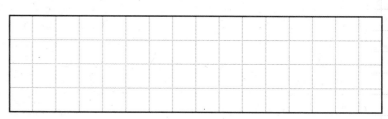

$\dfrac{2}{3} + \dfrac{3}{5} =$ _____

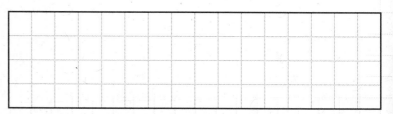

Angle

Voir aussi *figure plane*.

1 Avec un rapporteur d'angles, mesure chaque angle, puis écris s'il est aigu, droit ou obtus.

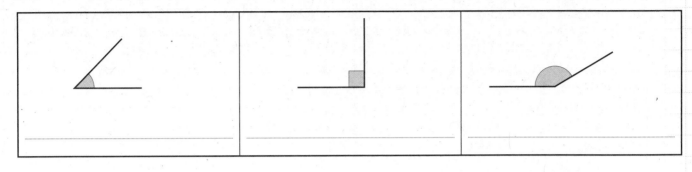

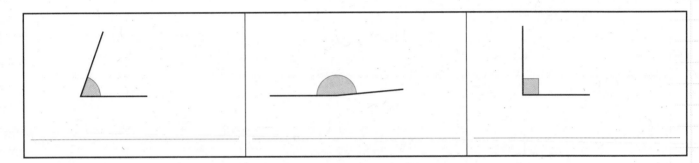

2 Trace trois triangles dont les mesures d'angles sont les suivantes.

A : 90°, 60° et 30°

B : 90°, 50° et 40°

C : 90°, 20° et 70°

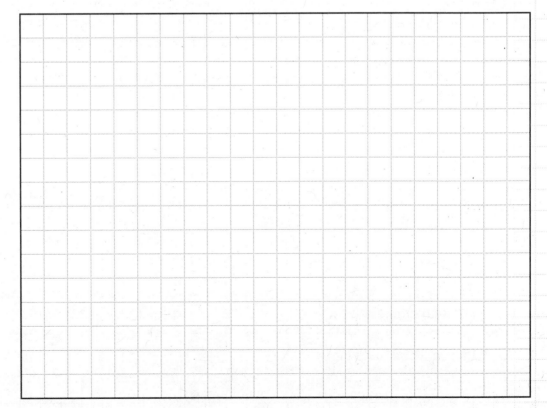

Arrondissement d'un nombre

Voir aussi *estimation, valeur de position d'un chiffre dans un nombre.*

1 Arrondis les nombres à la position demandée.

	234 631	175 470	314 836	556 824
À la dizaine près				
À la centaine près				
À l'unité de mille près				
À la dizaine de mille près				
À la centaine de mille près				

	819 063	521 275	827 462	469 259
À la dizaine près				
À la centaine près				
À l'unité de mille près				
À la dizaine de mille près				
À la centaine de mille près				

	732 317	645 725	993 548	184 306
À la dizaine près				
À la centaine près				
À l'unité de mille près				
À la dizaine de mille près				
À la centaine de mille près				

	1,542	0,258	53,425	24,010
Au centième près				
Au dixième près				
À l'unité près				

	26,705	35,357	19,990	50,002
Au centième près				
Au dixième près				
À l'unité près				

	9,124	9,575	90,758	90,243
Au centième près				
Au dixième près				
À l'unité près				

	0,785	0,214	39,609	87,281
Au centième près				
Au dixième près				
À l'unité près				

Associativité

Voir aussi commutativité, distributivité.

 Pour chaque égalité, coche vrai ou faux.

	Vrai	Faux
14 + 28 + 32 = 14 + (28 + 32)		
(35 × 20) × 25 = 35 × (20 × 25)		
(45 – 15) – 5 = 45 – (15 – 5)		
96 ÷ (12 ÷ 2) = (96 ÷ 12) ÷ 2		
27 + 15 + 5 = 27 + (15 + 5)		
21 + 37 + 13 = 21 + (37 + 13)		
35 × 5 × 40 = 35 × (5 × 40)		
(43 – 13) – 3 = 43 – (13 – 3)		
(60 ÷ 4) ÷ 2 = 60 ÷ (4 ÷ 2)		

2 Applique l'associativité pour effectuer les chaînes d'opérations suivantes.

a) (4 + 18) + 2 + 6 = _____

b) (32 + 5) + 15 + 8 = _____

c) (27 + 26) + 4 + 3 = _____

d) 3 × 5 × 4 = _____

e) 9 × 6 × 5 = _____

f) 8 × 2 × 4 = _____

Capacités

1 La capacité de chaque contenant est-elle supérieure (>) ou inférieure (<) à un litre ?

une boîte de maïs ☐ 1 L   une tasse ☐ 1 L

un bidon d'essence ☐ 1 L   un bol de soupe ☐ 1 L

un tube de dentifrice ☐ 1 L   le réservoir d'essence d'une voiture ☐ 1 L

2 Écris l'unité la plus appropriée (L ou mL) pour mesurer la capacité des contenants suivants.

un verre de lait : _____   une machine à laver : _____

une tasse de thé : _____   un réservoir d'eau chaude : _____

3 Complète les équivalences.

3 L = ☐ mL   2,5 L = ☐ mL   750 L = ☐ mL

45 L = ☐ mL   75 mL = ☐ L   225 L = ☐ mL

0,4 L = ☐ mL   8,25 L = ☐ mL   8,325 L = ☐ mL

745 mL = ☐ L   25 mL = ☐ L   4 000 mL = ☐ L

250 mL = ☐ L   75,5 L = ☐ mL   5 000 mL = ☐ L

Cercle

Voir aussi figure plane.

1 Observe chaque cercle, puis réponds aux questions.

a)

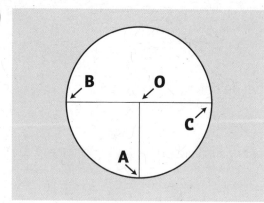

Combien mesure le rayon AO ?

Combien mesure le diamètre BC ?

Combien mesure, environ, la circonférence ?

Combien mesure l'angle au centre AOB ?

b)

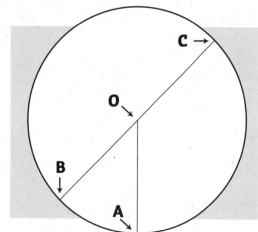

Combien mesure le rayon AO ?

Combien mesure le diamètre BC ?

Combien mesure, environ, la circonférence ?

Combien mesure l'angle au centre AOB ?

c)

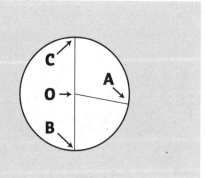

Combien mesure le rayon AO ?

Combien mesure le diamètre BC ?

Combien mesure, environ, la circonférence ?

Combien mesure l'angle au centre AOB ?

Commutativité

Voir aussi *associativité, distributivité.*

1   Pour chaque égalité, coche vrai ou faux.

	Vrai	Faux
18 + 6 + 2 = 18 + 2 + 6		
4 × 3 × 5 = 4 × 5 × 3		
20 – 5 – 3 = 5 – 3 – 20		
12 ÷ 4 = 4 ÷ 12		
15 + 17 + 5 = 15 + 5 + 17		
27 + 31 + 13 = 27 + 13 + 31		
5 × 25 × 6 = 5 × 6 × 25		
53 – 13 – 3 = 3 –13 – 53		
60 ÷ 3 ÷ 4 = 4 ÷ 60 ÷ 3		

2   Applique la commutativité pour effectuer les chaînes d'opérations suivantes.

a) 25 + 37 + 25 = ...

b) 18 + 15 + 2 + 5 = ...

c) 27 + 16 + 3 + 4 = ...

d) 7 × 4 × 5= ....

e) 6 × 2 × 3 × 5 = ...

f) 2 × 8 × 5 × 2 = ...

Décomposition d'un nombre

Voir aussi *valeur de position d'un chiffre dans un nombre.*

1 Décompose les nombres de trois façons différentes.

32 541 = ...

= ....

= ....

5 321 = ...

= ....

= ....

54 152 = ...

= ....

= ....

79 999 = ...

= ....

= ....

83 284 = ...

= ....

= ....

15,72 = ...
      = ...
      = ...

16,25 = ...
      = ...
      = ...

46,37 = ...
      = ...
      = ...

64,73 = ...
      = ...
      = ...

99,99 = ...
      = ...
      = ...

Recompose les nombres.

$300\,000 + 40\,000 + 2\,000 + 600 + 70 + 8 =$ ....

$3\,000 + 80\,000 + 90 + 200\,000 + 7 =$ ....

$100 + 600\,000 + 5 + 90 + 3\,000 =$ ....

$5\,000 + 200\,000 + 9 =$ ....

$(3 \times 10\,000) + (5 \times 1\,000) + (4 \times 100) + (6 \times 10) + 1 =$ ....

$(5 \times 100\,000) + (23 \times 1\,000) + (4 \times 100) + 8 =$ ....

$(25 \times 10\,000) + (83 \times 100) + (4 \times 10) + 6 =$ ....

$(3 \times 10^5) + (25 \times 10^3) + (9 \times 10^1) + (2 \times 10^0) =$ ....

$(5 \times 10^5) + (4 \times 10^3) + (32 \times 10^1) + (6 \times 10^0) =$ ....

$(2 \times 10^4) + (8 \times 10^3) + (4 \times 10^2) + (2 \times 10^1) + (6 \times 10^0) =$ ....

$(7 \times 10) + (5 \times 1) + (2 \times 0,1) + (4 \times 0,01) =$ ....

$(4 \times 10) + (7 \times 1) + (5 \times 0,1) + (2 \times 0,01) =$ ....

$40 + 7 + \dfrac{2}{10} + \dfrac{8}{100} =$ ....

$20 + 5 + \dfrac{7}{10} + \dfrac{5}{100} =$ ....

Distributivité
Voir aussi associativité, commutativité.

1 Applique la distributivité pour calculer les chaînes d'opérations suivantes.

5 × (10 + 4) = _____

(6 + 7) × 20 = _____

6 × (5 + 7) = _____

4 × (10 + 5) = _____

(7 + 4) × 5 = _____

(5 + 7) × 4 = _____

6 × (30 – 15) = _____

(20 – 5) × 4 = _____

5 × (20 – 4) = _____

(70 – 5) × 5 = _____

(80 – 3) × 6 = _____

4 × (90 – 5) = _____

5 × (90 – 9) = _____

(20 – 5) × 7 = _____

Diviseur d'un nombre

Voir aussi *division*.

 Coche les cases qui conviennent.

Est divisible par	2	3	4	5	6	8	9	10
21 348								
639 540								
997								
3 549								
7 625								
7 848								
53 640								
28 813								
2 157								
514 229								
687 120								
5 795								
20 762								
5 528								
150 890								
97								
97 010								

2 Écris les diviseurs de chaque nombre. Ensuite, entoure leurs diviseurs communs et note leur plus grand commun diviseur (PGCD).

12, 18	
12	
18	
PGCD	

15, 35	
15	
35	
PGCD	

24, 48	
24	
48	
PGCD	

36, 45	
36	
45	
PGCD	

Division

Voir aussi diviseur d'un nombre.

 Effectue les divisions.

5 832 ÷ 24 = _____

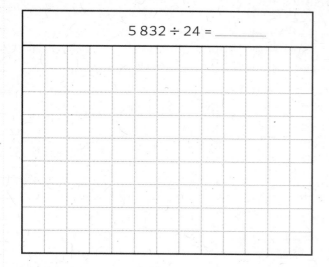

2 544 ÷ 48 = _____

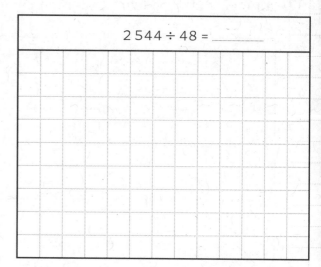

524 ÷ 16 = _____

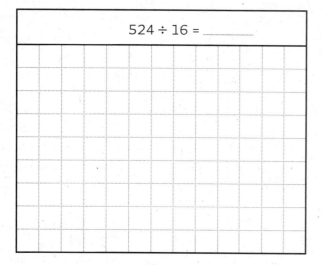

873 ÷ 36 = _____

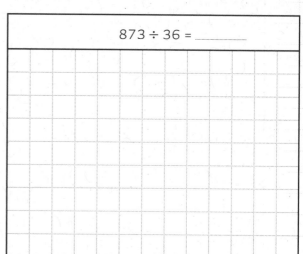

4 386 ÷ 15 = _____

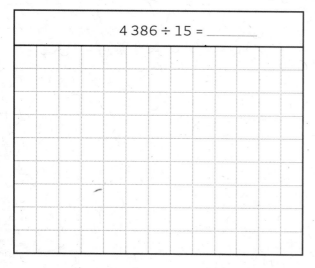

2 064 ÷ 32 = _____

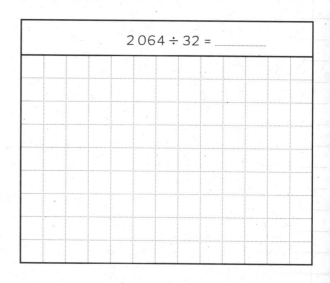

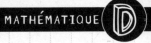

89,6 ÷ 2 = _____

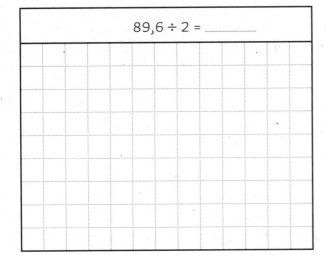

73,8 ÷ 4 = _____

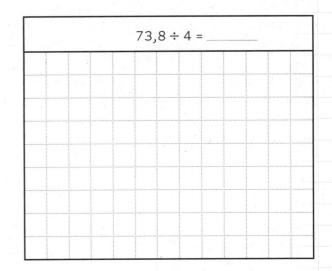

79,5 ÷ 2 = _____

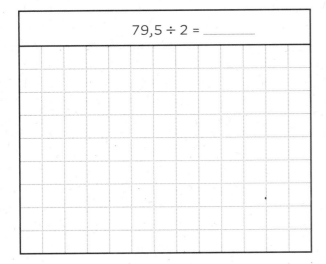

98,4 ÷ 6 = _____

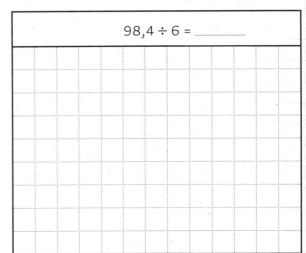

86,2 ÷ 5 = _____

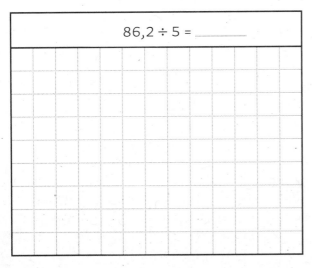

177,75 ÷ 3 = _____

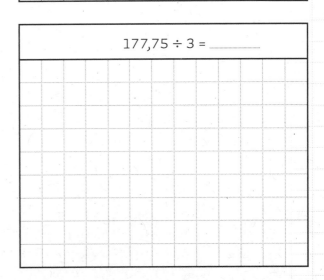

2   Effectue les divisions suivantes sans faire de calculs.

$32,5 \div 10 =$ _____ $32,5 \div 100 =$ _____ $32,5 \div 1\,000 =$ _____

$412,5 \div 10 =$ _____ $412,5 \div 100 =$ _____ $412,5 \div 1\,000 =$ _____

$125,3 \div 10 =$ _____ $123,6 \div 100 =$ _____ $123,6 \div 1\,000 =$ _____

$56,89 \div 10 =$ _____ $56,89 \div 100 =$ _____ $56,89 \div 1\,000 =$ _____

$42,75 \div 10 =$ _____ $42,75 \div 100 =$ _____ $42,75 \div 1\,000 =$ _____

$35,08 \div 10 =$ _____ $35,08 \div 100 =$ _____ $35,08 \div 1\,000 =$ _____

$28 \div 10 =$ _____ $28 \div 100 =$ _____ $28 \div 1\,000 =$ _____

$85 \div 10 =$ _____ $85 \div 100 =$ _____ $85 \div 1\,000 =$ _____

$543 \div 10 =$ _____ $543 \div 100 =$ _____ $543 \div 1\,000 =$ _____

$369 \div 10 =$ _____ $369 \div 100 =$ _____ $369 \div 1\,000 =$ _____

$5\,213 \div 10 =$ _____ $5\,213 \div 100 =$ _____ $5\,213 \div 1\,000 =$ _____

$15\,347 \div 10 =$ _____ $15\,347 \div 100 =$ _____ $15\,347 \div 1\,000 =$ _____

Estimation

Voir aussi arrondissement d'un nombre.

 Estime les résultats des opérations suivantes.

27 953 + 5 265 + 398 → ....

4 521 × 58 → ....

32 463 + 4 575 + 235 → ....

7 359 × 47 → ....

38 675 − 2 045 → ....

6 260 ÷ 28 → ....

53 246 − 3 708 → ....

8 610 ÷ 41 → ....

6,75 + 5,37 → ....

8,67 + 7,86 → ....

12,37 − 4,43 → ....

36,15 − 9,84 → ....

22,15 × 4,8 → ....

59,87 × 2,9 → ....

44,5 ÷ 9 → ....

62,3 ÷ 6,4 → ....

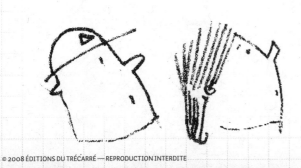

Facteur premier

 Décompose les nombres en facteurs premiers.

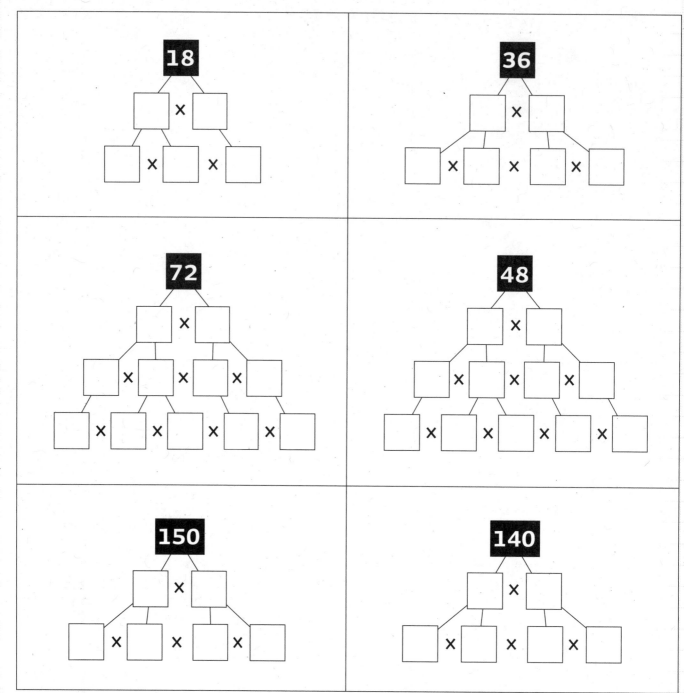

Figure plane

Voir aussi *angle, cercle, polygone.*

 Entoure les figures planes convexes.

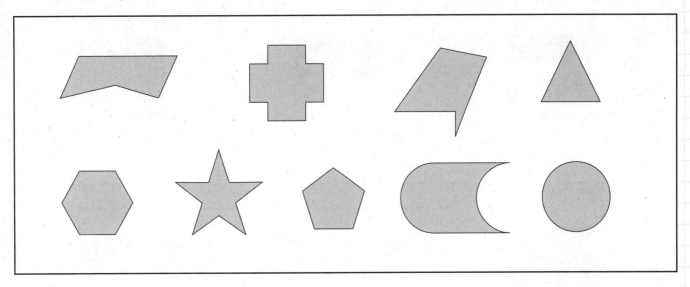

 Identifie trois ensembles de figures planes.

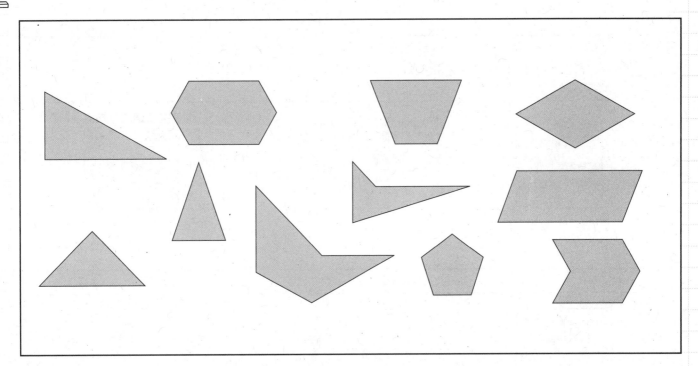

Fraction

Voir aussi nombres décimaux, pourcentage.

 Écris la fraction représentée par la partie coloriée.

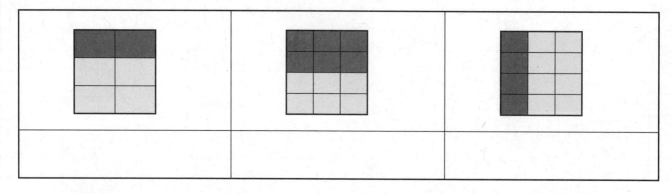

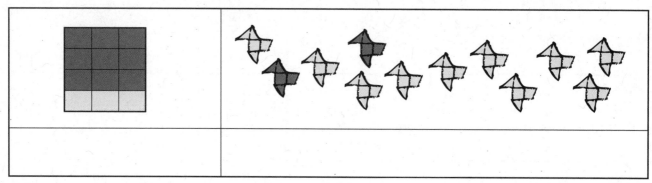

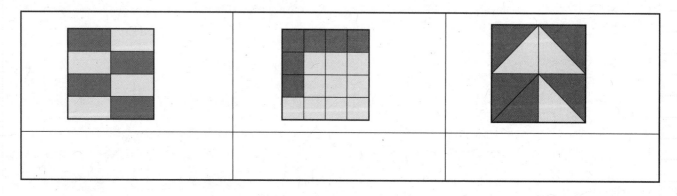

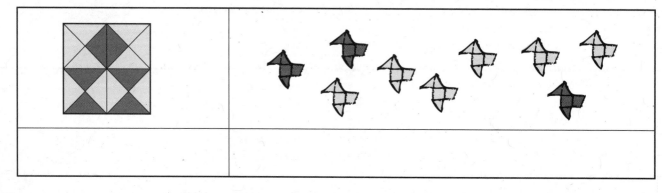

2 Écris le numérateur qui manque pour que les fractions soient équivalentes.

$\dfrac{2}{3}$ → $\dfrac{}{15}$ $\dfrac{3}{5}$ → $\dfrac{}{30}$ $\dfrac{}{7}$ → $\dfrac{12}{21}$

$\dfrac{}{8}$ → $\dfrac{3}{24}$ $\dfrac{}{4}$ → $\dfrac{12}{16}$ $\dfrac{1}{2}$ → $\dfrac{}{10}$

$\dfrac{}{5}$ → $\dfrac{20}{25}$ $\dfrac{3}{7}$ → $\dfrac{}{14}$ $\dfrac{1}{6}$ → $\dfrac{}{36}$

$\dfrac{}{4}$ → $\dfrac{7}{28}$ $\dfrac{}{4}$ → $\dfrac{15}{20}$ $\dfrac{}{3}$ → $\dfrac{8}{12}$

3 Complète par le signe qui convient (<, >, =).

$\dfrac{5}{10}$ ☐ $\dfrac{1}{2}$ $\dfrac{2}{3}$ ☐ $\dfrac{3}{5}$ $\dfrac{5}{8}$ ☐ $\dfrac{1}{3}$

$\dfrac{1}{5}$ ☐ $\dfrac{3}{10}$ $\dfrac{2}{5}$ ☐ $\dfrac{1}{2}$ $\dfrac{4}{5}$ ☐ $\dfrac{3}{4}$

$\dfrac{8}{12}$ ☐ $\dfrac{12}{18}$ $\dfrac{3}{4}$ ☐ $\dfrac{7}{5}$ $\dfrac{3}{4}$ ☐ $\dfrac{5}{6}$

$\dfrac{2}{3}$ ☐ $\dfrac{6}{9}$ $\dfrac{7}{10}$ ☐ $\dfrac{4}{5}$ $\dfrac{3}{5}$ ☐ $\dfrac{1}{3}$

4 Place les fractions sur chaque droite numérique.

a)

$\dfrac{1}{6}$ $\dfrac{3}{4}$ $\dfrac{2}{3}$ $\dfrac{1}{2}$

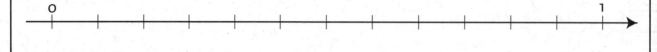

b)

$\dfrac{2}{5}$ $\dfrac{1}{2}$ $\dfrac{3}{5}$ $\dfrac{1}{10}$

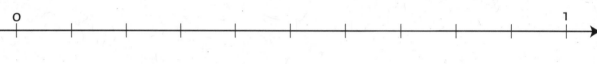

c)

$\dfrac{1}{3}$ $\dfrac{3}{4}$ $\dfrac{5}{6}$ $\dfrac{4}{12}$

d)

$\dfrac{1}{4}$ $\dfrac{1}{2}$ $\dfrac{4}{5}$ $\dfrac{3}{10}$

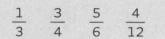

Réduis les fractions suivantes en fractions irréductibles.

$\dfrac{4}{12} =$ $\dfrac{8}{16} =$

$\dfrac{12}{16} =$ $\dfrac{6}{9} =$

$\dfrac{10}{12} =$ $\dfrac{2}{10} =$

$\dfrac{3}{12} =$ $\dfrac{5}{25} =$

 Transforme les expressions fractionnaires en nombres fractionnaires.

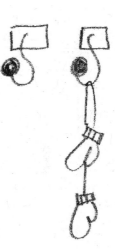

$\dfrac{11}{2} =$ $\dfrac{13}{3} =$

$\dfrac{21}{5} =$ $\dfrac{10}{6} =$

$\dfrac{5}{2} =$ $\dfrac{7}{3} =$

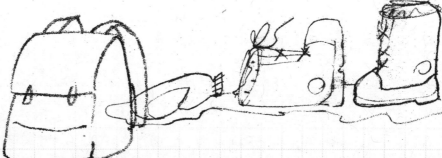

7 Effectue les opérations.

$\dfrac{3}{8} + \dfrac{1}{2} =$ 　　　　　　　　　　$\dfrac{1}{4} + \dfrac{1}{2} =$

$\dfrac{1}{6} + \dfrac{1}{3} =$ 　　　　　　　　　　$\dfrac{2}{5} + \dfrac{1}{3} =$

$\dfrac{2}{3} - \dfrac{1}{4} =$ 　　　　　　　　　　$\dfrac{3}{4} - \dfrac{1}{2} =$

$\dfrac{3}{4} - \dfrac{5}{8} =$ 　　　　　　　　　　$\dfrac{1}{2} - \dfrac{1}{3} =$

$5 \times \dfrac{3}{5} =$ 　　　　　　　　　　$3 \times \dfrac{2}{3} =$

$6 \times \dfrac{1}{4} =$ 　　　　　　　　　　$4 \times \dfrac{1}{3} =$

Longueurs

 Complète les équivalences.

6 km = ... m

3 km = ... cm

25 km = ... m

23,75 km = ... m

3 490 m = ... km

45 m = ... km

57 m = ... dm

78 m = ... cm

3 m = ... mm

25 dm = ... m

3 450 dm = ... km

47 dm = ... cm

83 cm = ... dm

54 cm = ... mm

190 mm = ... cm

3 500 mm = ... dm

4 km = ... dm

7 km = ... dm

250 km = ... m

5,755 km = ... m

5 m = ... km

175 m = ... km

235 m = ... dm

5 m = ... cm

25 m = ... mm

535 dm = ... m

492 dm = ... km

125 dm = ... cm

35 cm = ... dm

5,6 cm = ... mm

2 470 mm = ... cm

350 mm = ... dm

2 Calcule le périmètre des figures suivantes.

a)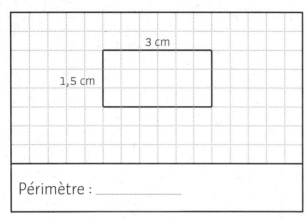

3 cm

1,5 cm

Périmètre : _____

b)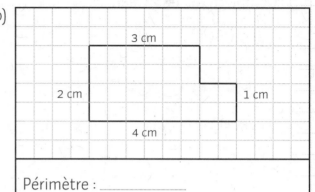

3 cm

2 cm   1 cm

4 cm

Périmètre : _____

c)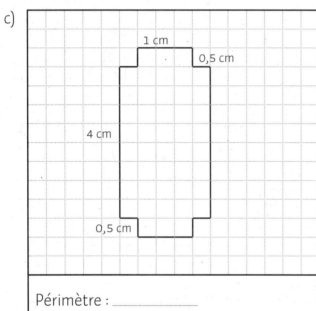

1 cm

0,5 cm

4 cm

0,5 cm

Périmètre : _____

d)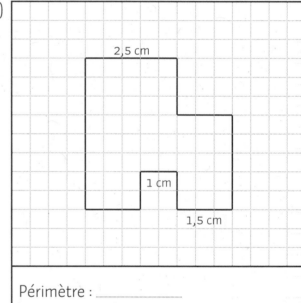

2,5 cm

1 cm

1,5 cm

Périmètre : _____

Trace quatre figures différentes qui auront 8 cm de périmètre.

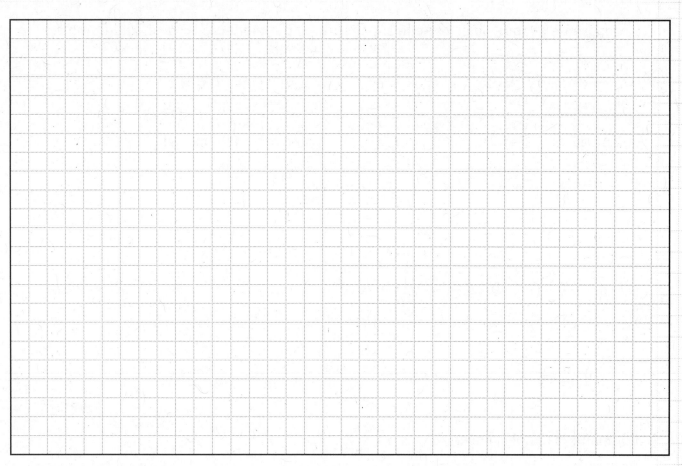

Les tables de la cafétéria mesurent 1 m de largeur et 2 m de longueur. Quel est le périmètre des nappes qui les recouvrent si on laisse un bord de 2 dm ?

Démarche	Réponse

Masses

1 La masse de chaque objet est-elle supérieure (>) ou inférieure (<) à un kilogramme ?

un crayon ☐ 1 kg

une feuille d'arbre ☐ 1 kg

un bureau ☐ 1 kg

une barre de chocolat ☐ 1 kg

une chaise ☐ 1 kg

un sac d'école plein de livres ☐ 1 kg

2 Écris l'unité la plus appropriée (kg ou g) pour mesurer la masse des objets suivants.

un biscuit : _____

une bicyclette : _____

une pomme : _____

cinquante pommes : _____

3 Complète les équivalences.

8 g = ☐ kg

35 g = ☐ kg

250 kg = ☐ g

5 kg = ☐ g

87 g = ☐ kg

7 500 g = ☐ kg

250 g = ☐ kg

3,25 kg = ☐ g

5 000 g = ☐ kg

45 kg = ☐ g

54,5 kg = ☐ g

3,295 kg = ☐ g

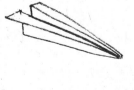

Multiple

Voir aussi multiplication.

1 Trouve les 10 premiers multiples de chaque chiffre. Ensuite, entoure leurs multiples communs et note leur plus petit commun multiple (PPCM).

2, 6	
2	
6	
PPCM	

3, 4	
3	
4	
PPCM	

2 C'est la pagaille dans la classe. Lancelot lance un avion en papier toutes les 3 minutes, et Amédée en lance un toutes les 5 minutes. Il est 9 h. Deux avions traversent la classe. À quelle heure deux avions traverseront-ils encore la classe en même temps ?

Démarche	Réponse

Multiplication

1 Effectue les multiplications.

523 × 25 = _____

254 × 36 = _____

428 × 16 = _____

729 × 42 = _____

923 × 64 = _____

806 × 53 = _____

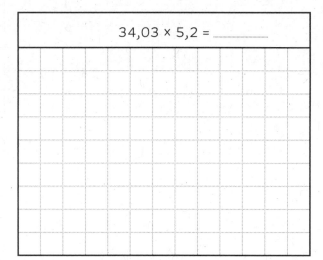

34,03 × 5,2 = _____

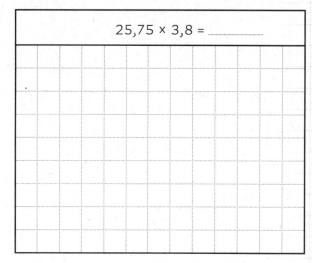

25,75 × 3,8 = _____

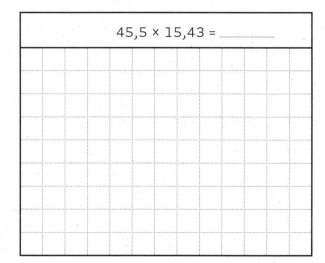

45,5 × 15,43 = _____

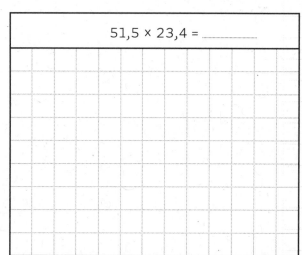

51,5 × 23,4 = _____

2,5 × 10 = _____   2,5 × 100 = _____   2,5 × 1000 = _____

35 × 10 = _____   56 × 100 = _____   80 × 1000 = _____

7,75 × 10 = _____   5,95 × 100 = _____   9,685 × 1000 = _____

45,59 × 10 = _____   12,48 × 100 = _____   56,95 × 1000 = _____

$3 \times \dfrac{2}{7} =$ $3 \times \dfrac{2}{6} =$ $4 \times \dfrac{1}{2} =$

$7 \times \dfrac{1}{7} =$ $5 \times \dfrac{1}{2} =$ $3 \times \dfrac{3}{5} =$

Nombres décimaux

Voir aussi fraction, pourcentage.

1 Écris le nombre décimal correspondant à chaque fraction.

$\dfrac{35}{10} =$ _____ $\dfrac{35}{100} =$ _____ $\dfrac{35}{1000} =$ _____

$\dfrac{10}{100} =$ _____ $\dfrac{1}{100} =$ _____ $\dfrac{1}{1000} =$ _____

$\dfrac{4}{10} =$ _____ $\dfrac{5}{100} =$ _____ $\dfrac{8}{1000} =$ _____

$\dfrac{90}{10} =$ _____ $\dfrac{60}{100} =$ _____ $\dfrac{50}{1000} =$ _____

2 Écris la valeur du chiffre souligné.

25,5 : _____   25,25 : _____   25,725 : _____

326,12 : _____   326,12 : _____   326,122 : _____

175,125 : _____   175,215 : _____   175,521 : _____

7,88 : _____   7,88 : _____   7,888 : _____

46,04 : _____   58,927 : _____   450,983 : _____

3,254 : _____   6,854 : _____   9,241 : _____

3 Transforme les fractions en fractions sur 10, sur 100 ou sur 1 000, puis en nombres décimaux.

$\dfrac{2}{5}$ = ☐ ☐ $\dfrac{1}{2}$ = ☐ ☐ $\dfrac{1}{4}$ = ☐ ☐

$\dfrac{3}{4}$ = ☐ ☐ $\dfrac{1}{5}$ = ☐ ☐ $\dfrac{3}{5}$ = ☐ ☐

$\dfrac{4}{5}$ = ☐ ☐ $\dfrac{1}{25}$ = ☐ ☐ $\dfrac{4}{25}$ = ☐ ☐

$\dfrac{12}{25}$ = ☐ ☐ $\dfrac{5}{25}$ = ☐ ☐ $\dfrac{11}{25}$ = ☐ ☐

$\dfrac{2}{25}$ = ☐ ☐ $\dfrac{1}{20}$ = ☐ ☐ $\dfrac{3}{20}$ = ☐ ☐

$\dfrac{7}{20}$ = ☐ ☐ $\dfrac{9}{20}$ = ☐ ☐ $\dfrac{17}{20}$ = ☐ ☐

$\dfrac{1}{50}$ = ☐ ☐ $\dfrac{3}{50}$ = ☐ ☐ $\dfrac{32}{50}$ = ☐ ☐

$\dfrac{5}{50}$ = ☐ ☐ $\dfrac{7}{28}$ = ☐ ☐ $\dfrac{1}{8}$ = ☐ ☐

4 Effectue les opérations.

$34,03 + 5,2 =$ _____

$84,9 + 8,75 =$ _____

$45,6 - 13,02 =$ _____

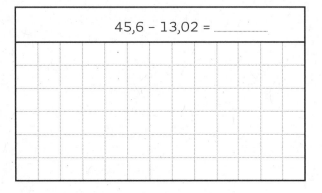

$58,72 - 39,8 =$ _____

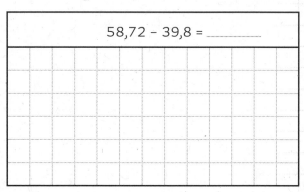

$34,03 \times 5,2 =$ _____

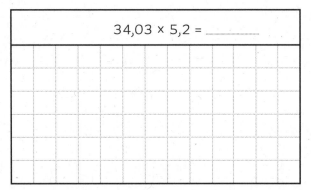

$25,6 \times 6,43 =$ _____

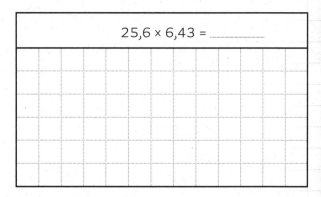

$73,8 \div 4 =$ _____

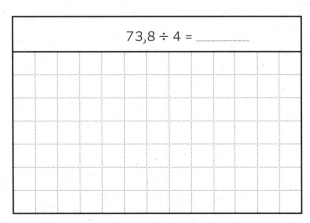

$97,62 \div 3 =$ _____

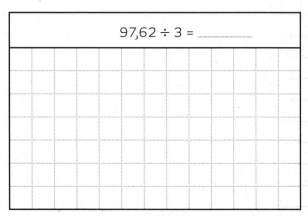

Nombres entiers

Voir aussi nombres naturels.

 Ajoute les nombres qui manquent.

a)
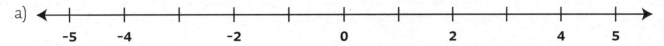
-5   -4   -2   0   2   4   5

b)
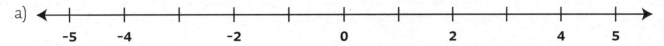
-5   -3   -1   0   1   3   5

c)
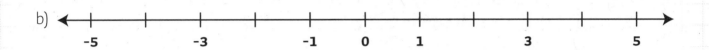
-5   -4   -3   -1   0   1   2   3   4   5

d)
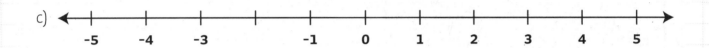
0

 Écris les nombres dans l'ordre croissant.

a)   -5   5   2   -2   -4   3   -3

_____

b)   -5   5   2   -2   -4   3   -3   4   1   -1

_____

c)   -2   4   2   5   -6   -12   9   -9

_____

d)   -3   5   3   6   -7   -13   10   -10

_____

3   Résous les équations en utilisant une droite numérique.

$-4 + 7 = \boxed{}$	←——————————————————→
$-4 + 6 = \boxed{}$	←——————————————————→
$-8 + 3 = \boxed{}$	←——————————————————→
$-4 + 4 = \boxed{}$	←——————————————————→
$3 - 4 = \boxed{}$	←——————————————————→
$2 - 6 = \boxed{}$	←——————————————————→
$5 - 9 = \boxed{}$	←——————————————————→
$-2 - 3 = \boxed{}$	←——————————————————→
$-1 - 3 = \boxed{}$	←——————————————————→
$-2 - 3 = \boxed{}$	←——————————————————→

Nombres naturels
Voir aussi nombres entiers.

1 Écris les nombres en chiffres.

Quatre-vingt douze mille cinq : _____

Neuf cent vingt-trois mille sept : _____

Six cent quatre mille deux cents : _____

Sept cent cinquante mille deux cent dix-huit : _____

2 Entoure les nombres naturels pairs en bleu et les nombres naturels impairs en rouge.

76 652	329 989	4 578	315 723	999 797	326 796
36 000	7 776	999 998	515 663	70 667	800 852

3 Écris les nombres qui viennent immédiatement avant et immédiatement après.

_____ 300 100 _____   _____ 300 000 _____

_____ 906 091 _____   _____ 238 980 _____

_____ 604 200 _____   _____ 899 901 _____

4 Qu'ont en commun les nombres de chaque liste ?

2, 4, 6, 12, 14, 16, 18, 20, 22 : _____

3, 5, 17, 21, 1, 25, 9, 27, 33, 39 : _____

4, 9, 16, 25, 36, 49, 64, 81, 100 : _____

2, 3, 5, 7, 11, 13, 17, 19, 23, 29 : _____

Parallèles

Voir aussi perpendiculaires.

 Surligne d'une même couleur les lignes ou les faces parallèles.

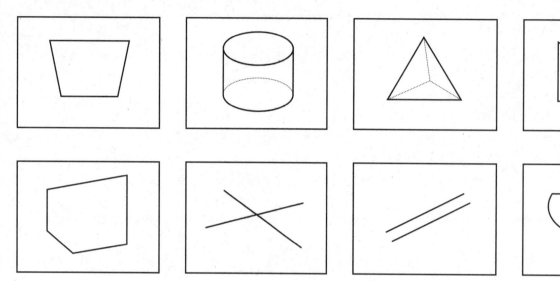

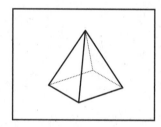 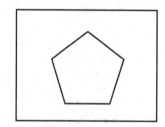 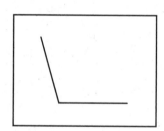 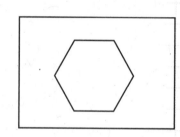

 Pour chaque figure, ajoute deux segments de droite de manière à obtenir un polygone qui aura deux côtés parallèles.

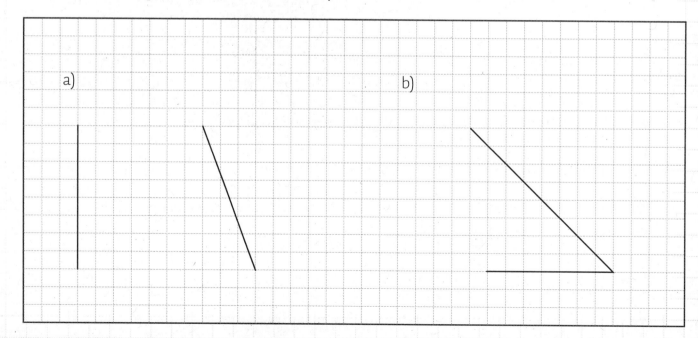

a)

b)

Perpendiculaires

Voir aussi *parallèles*.

 Surligne en jaune les lignes ou les faces perpendiculaires.

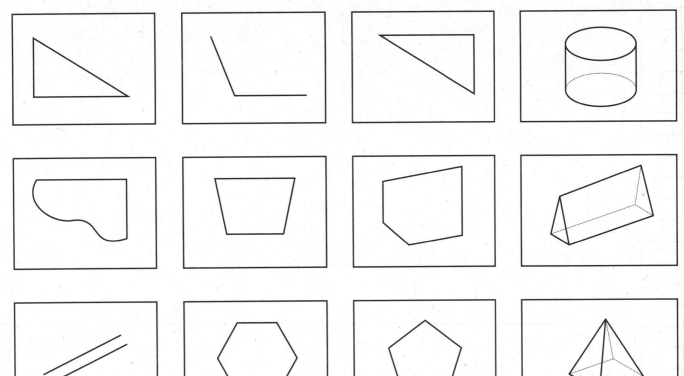

Complète chaque figure de manière à obtenir un polygone qui aura deux côtés perpendiculaires.

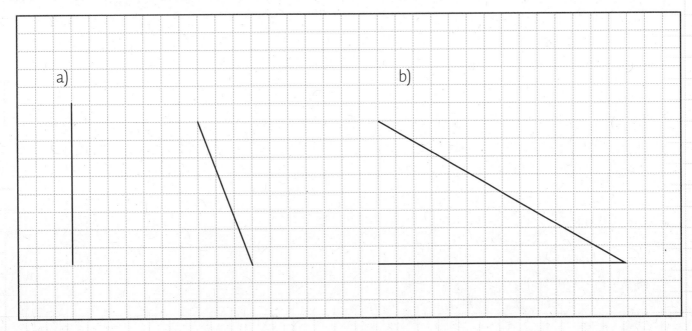

a)

b)

Plan cartésien

1 Écris les coordonnées des points situés sur le plan cartésien ci-dessous.

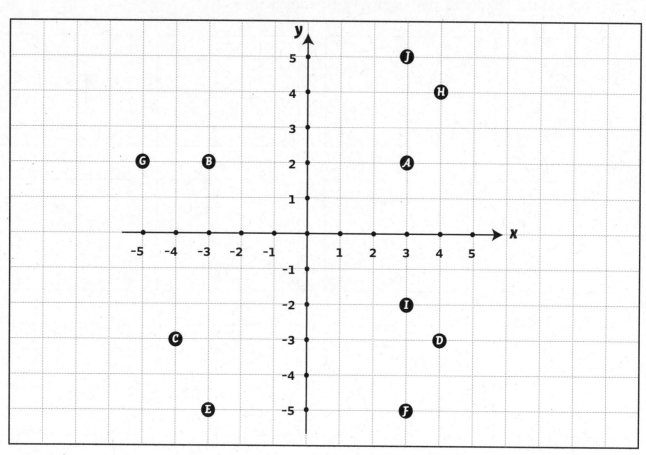

A : _____

B : _____

C : _____

D : _____

E : _____

F : _____

G : _____

H : _____

I : _____

J : _____

2 Trace sur le plan cartésien une figure dont les sommets ont les coordonnées suivantes.

a) A : (2, 4)

   B : (2, 1)

   C : (5, 1)

   D : (2, -2)

   E : (-3, -2)

   F : (-5, 1)

   G : (-2, 1)

   H : (-2, 4)

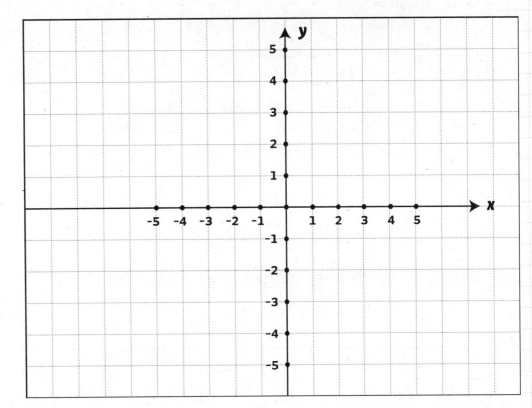

b) A : (-4, -1)

   B : (-1, 3)

   C : (1, -3)

   D : (4, -1)

   E : (4, 2)

   F : (2, 4)

   G : (-2, 4)

   H : (-4, 2)

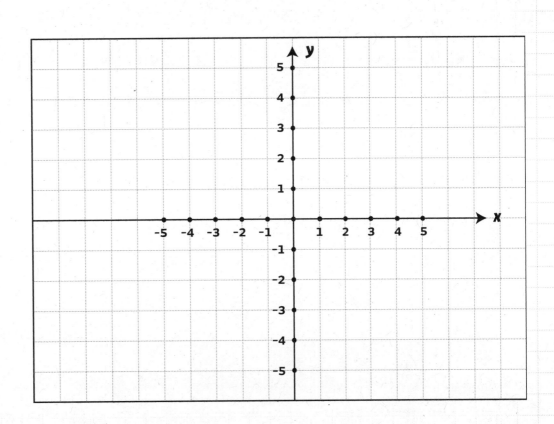

Polyèdre

Voir aussi solide.

1 Entoure les polyèdres.
Colorie en bleu les polyèdres non convexes.

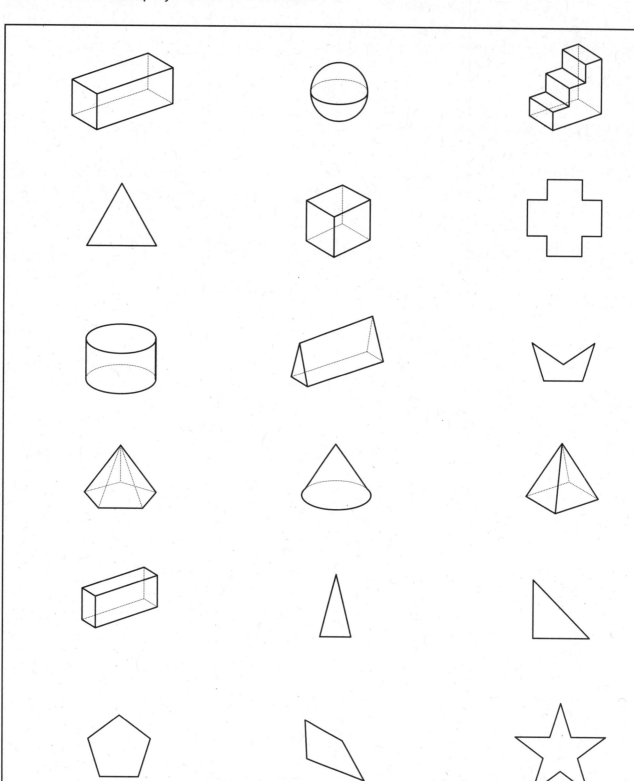

2 Parmi les figures suivantes, entoure celle qui est le développement
   d'un prisme à base triangulaire.

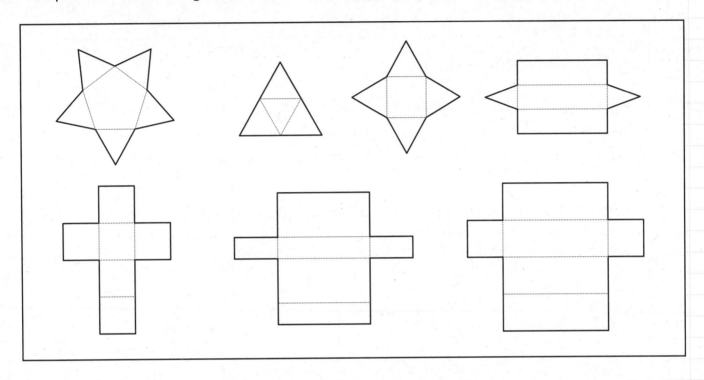

3 Parmi les figures suivantes, entoure celles qui sont le développement
   d'une pyramide à base carrée.

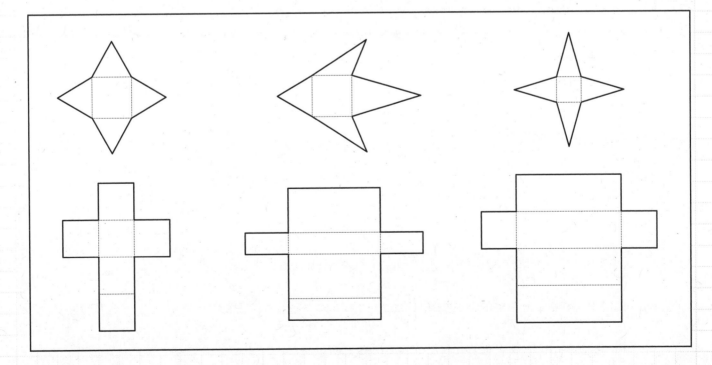

Vrai ou faux ?

	Vrai	Faux
Un polyèdre est une figure plane.		
Un polyèdre contient toujours des faces courbes.		
Un polyèdre est convexe si tous les segments reliant deux de ses sommets restent à l'intérieur du polyèdre.		
Parmi les polyèdres, on distingue les prismes et les pyramides.		
Il n'y a aucune relation entre le nombre de faces, de sommets et d'arêtes d'un polyèdre convexe.		
Une relation existe entre le nombre de faces, de sommets et d'arêtes d'un polyèdre convexe.		
Un polyèdre peut avoir 10 sommets, 7 faces et 15 arêtes.		
Un polyèdre peut avoir 6 sommets, 6 faces et 10 arêtes.		
Un polyèdre peut avoir 8 sommets, 6 faces et 14 arêtes.		
Un polyèdre peut avoir 7 sommets, 7 faces et 12 arêtes.		

5 Réponds aux questions.

a) Si un polyèdre a 8 sommets et 6 faces, combien a-t-il d'arêtes ? ....

b) Si une pyramide a 6 sommets et 6 faces, combien a-t-elle d'arêtes ? ....

c) Si un prisme a 10 sommets et 7 faces, combien a-t-il d'arêtes ? ....

d) Si un prisme a 6 sommets et 5 faces, combien a-t-il d'arêtes ? ....

e) Si une pyramide a 4 sommets et 4 faces, combien a-t-elle d'arêtes ? ....

Polygone
Voir aussi *figure plane*.

 Entoure les polygones et colorie en bleu ceux qui sont réguliers.

Pourcentage

Voir aussi fraction, nombres décimaux.

 Complète le tableau.

Fractions	Fractions sur cent	Nombres décimaux	Pourcentages
$\dfrac{1}{2}$			
	$\dfrac{25}{100}$		
		0,75	
$\dfrac{4}{25}$			
$\dfrac{9}{10}$			
		0,8	
		0,20	
$\dfrac{3}{10}$			
	$\dfrac{40}{100}$		
		0,45	
$\dfrac{19}{20}$			
	$\dfrac{5}{100}$		

2 Calcule les pourcentages.

75 % de 100 =

16 % de 100 =

10 % de 75 =

50 % de 45 =

30 % de 75 =

90 % de 100 =

25 % de 400 =

5 % de 18 =

18 % de 5 =

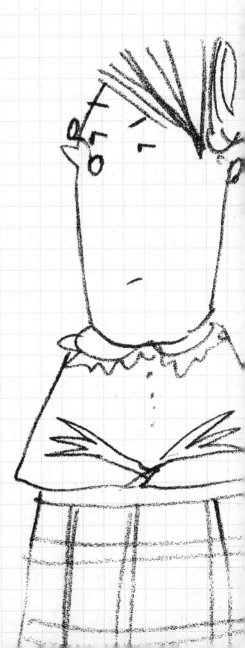

Priorité des opérations

Voir aussi *addition, division, multiplication, soustraction.*

1 Calcule les chaînes d'opérations.

$(8 + 2) \times (5 - 3) =$ ....

$8 + (2 \times 5) - 3 =$ ....

$(6 + 1) \times (9 - 2) =$ ....

$(7 - 5) \div (10 - 8) =$ ....

$(20 + 4) \div (2 + 4) =$ ....

$20 + (4 \div 2) + 4 =$ ....

$(40 + 50) \div (10 - 1) =$ ....

$(25 + 75) \times (25 - 15) =$ ....

$7 + 2 \times 5 - 7 =$ ....

$20 - 4 \div 2 + 4 =$ ....

$10 \div 2 + 4 - 3 \times 2 + 35 \div 5 - 4 + 3 =$ ....

$2 + 6 + 3 \times 4 + 5 \times 3 =$ ....

$4 + 12 \div 3 - 20 \div 4 + 10 =$ ....

Probabilité

Voir aussi statistique.

 Observe le sac de boules ci-dessous, dans lequel il y a quatre boules rayées, deux boules à pois, une boule à fleurs et une boule noire.

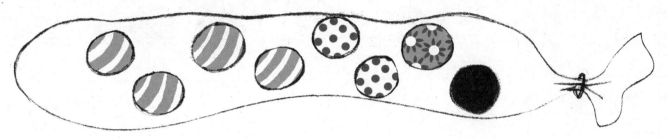

Si l'on pige une boule :
qu'est-ce qui est le plus probable? _____
qu'est-ce qui est le moins probable? _____
qu'est-ce qui est également probable? _____

Quelle est la probabilité de piger une boule de chaque modèle?
Écris la réponse en fraction irréductible et en pourcentage.

Une boule rayée : _____ _____   Une boule à fleurs : _____ _____

Une boule à pois : _____ _____   Une boule noire : _____ _____

2 Observe le sac de boules ci-dessous, dans lequel il y a quatre boules rayées, deux boules à pois, trois boules à fleurs et une boule noire.

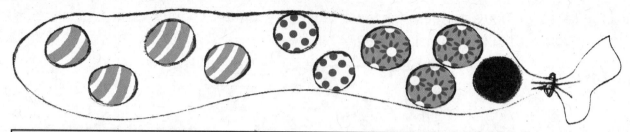

Si l'on pige une boule :

qu'est-ce qui est le plus probable? _____

qu'est-ce qui est le moins probable? _____

qu'est-ce qui est également probable? _____

Quelle est la probabilité de piger une boule de chaque modèle?
Écris la réponse en fraction irréductible et en pourcentage.

Une boule rayée : _____ _____   Une boule à fleurs : _____ _____

Une boule à pois : _____ _____   Une boule noire : _____ _____

3 Notre prof d'anglais, miss Lipton, et notre prof d'éducation physique, monsieur Trudel, aimeraient avoir trois enfants. Remplis l'arbre ci-dessous et donne toutes les probabilités.

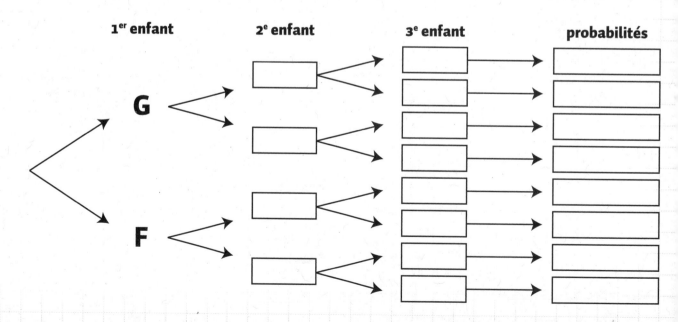

| 1er enfant | 2e enfant | 3e enfant | probabilités |

4 On lance deux dés.

a) Combien y a-t-il de combinaisons possibles ?

b) Quelle est la probabilité de tomber sur un double ?

c) Combien y a-t-il de possibilités d'obtenir une somme de 9 ?

d) Combien y a-t-il de possibilités d'obtenir une somme de 5 ?

Démarche						
2ᵉ dé / 1ᵉʳ dé	⚀	⚁	⚂	⚃	⚄	⚅
⚀						
⚁						
⚂						
⚃						
⚄						
⚅						

Réponses

a) ....

b) ....

c) ....

d) ....

Puissance

 Écris chaque multiplication sous forme de puissance.

$3 \times 3 =$ _____ $3 \times 3 \times 3 =$ _____

$2 \times 2 \times 2 \times 2 =$ _____ $5 \times 5 \times 5 \times 5 \times 5 \times 5 =$ _____

$4 \times 4 \times 4 \times 4 \times 4 =$ _____ $7 \times 7 \times 7 \times 7 \times 7 \times 7 =$ _____

$6 \times 6 \times 6 \times 6 \times 6 =$ _____ $8 \times 8 \times 8 =$ _____

$10 \times 10 \times 10 =$ _____ $10 \times 10 \times 10 \times 10 \times 10 =$ _____

 Écris les puissances sous forme de multiplications, puis calcule les produits.

$2^3 =$ _____ $3^4 =$ _____

$3^2 =$ _____ $3^3 =$ _____

$5^4 =$ _____ $4^5 =$ _____

$6^3 =$ _____ $6^4 =$ _____

$10^3 =$ _____ $10^4 =$ _____

 Écris dans les cases les signes **<**, **>** ou **=**.

2^3 ☐ 3^2 2^4 ☐ 4^2 2^2 ☐ 3^2 10^0 ☐ 1

3^3 ☐ 3^2 2^6 ☐ 5^3 4^3 ☐ 4^2 10^1 ☐ 10

Écris les nombres sous forme de puissances de 10.

10 = _____   100 = _____

1 000 = _____   10 000 = _____

100 000 = _____   100 000 000 = _____

 Effectue les opérations.

$3^4 + 5^2$ = _____ $4^3 \div 2^6$ = _____

$4^2 - 2^3$ = _____ $5^3 + 2^2$ = _____

$6^2 \times 10^2$ = _____ $10^2 \div 5^2$ = _____

 Décompose les nombres en facteurs premiers, puis écris-les sous forme de puissances.

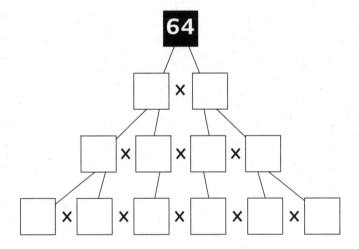

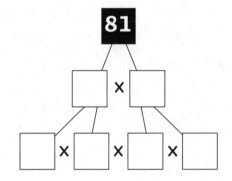

_____   _____

Quadrilatère
Voir aussi *figure plane, polygone.*

1 Écris le nom des quadrilatères qui possèdent les caractéristiques données.

Caractéristiques	Quadrilatères
Quatre côtés	
Quatre côtés dont deux côtés parallèles	
Quatre côtés parallèles deux à deux	
Quatre côtés parallèles deux à deux, angles droits	
Quatre côtés parallèles deux à deux et congrus	
Quatre côtés parallèles deux à deux et congrus, angles droits	
Quatre angles droits	
Deux côtés parallèles	
Quatre côtés congrus	

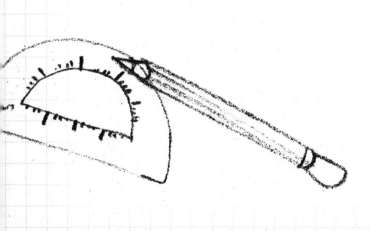

Vrai ou faux ?

	Vrai	Faux
Un trapèze est un parallélogramme.		
Un parallélogramme est un trapèze.		
Un rectangle est un parallélogramme.		
Un parallélogramme est un rectangle.		
Un losange est un carré.		
Un carré est un losange.		
Un carré est un parallélogramme.		
Un parallélogramme est un carré.		
Les côtés opposés d'un losange sont perpendiculaires.		
Les côtés opposés d'un losange sont parallèles.		
Les angles d'un carré sont obtus.		
Les côtés opposés d'un rectangle sont congrus.		
Les quatre côtés d'un carré sont congrus.		
Les quatre côtés d'un losange sont congrus.		
Deux côtés d'un trapèze sont parallèles.		

Réflexion

Voir aussi translation.

 1 Trace tous les axes de réflexion des figures ci-dessous.

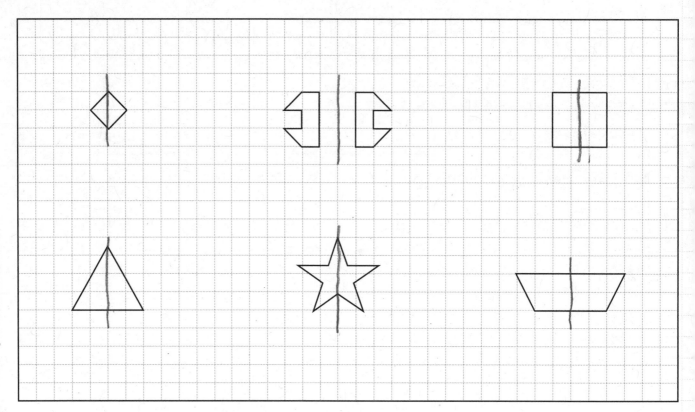

2 Complète par réflexion les deux frises ci-dessous.

a)

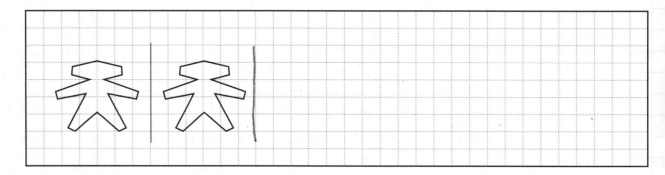

b)

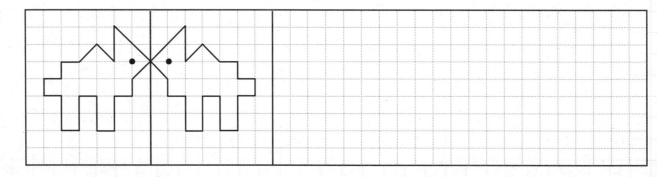

3 Sur le plan cartésien ci-dessous, reproduis trois fois la figure par réflexion.

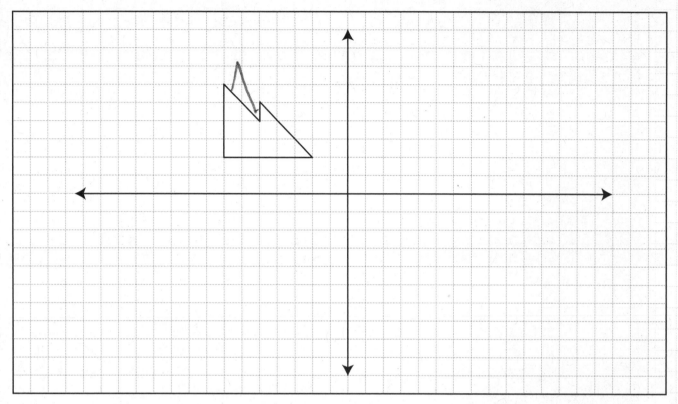

4 Quelle figure est la reproduction de A par réflexion ?

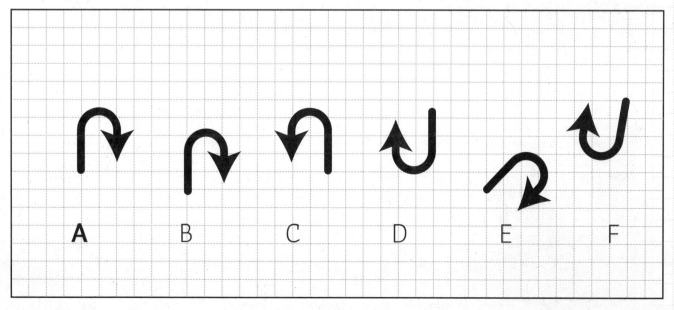

A   B   C   D   E   F

Réponse : _____

Solide

Voir aussi polyèdre.

 Complète le tableau.

Solides	Nombre de sommets	Nombre de faces	Nombre d'arêtes	Figures planes qui les composent
			9	△ △ ▭ ▭ ▭
				△ △ △ △ △ ⬠
Prisme à base pentagonale				
				▭ ○ ○
Cube				
	1	2	1	
Prisme à base carrée			12	
	5	5		

Soustraction

 Effectue les soustractions.

358 043 − 12 654 = ...

622 622 − 532 223 = ...

40 000 − 38 399 = ...

142 000 − 7 834 = ...

534 082 − 435 = ...

189 649 − 905 = ...

381 079 − 47 574 = ...

17 836 − 5 794 = ...

34,03 – 7,125 = _____

34,3 – 5,5 = _____

75 – 25,05 = _____

70,5 – 55,25 = _____

78,25 – 5,125 = _____

125,03 – 6,97 = _____

85,239 – 9,5 = _____

25,03 – 24,001 = _____

$$\frac{1}{2} - \frac{3}{12} = \text{_____}$$

$$\frac{1}{2} - \frac{1}{4} = \text{_____}$$

$$\frac{1}{2} - \frac{1}{8} = \text{_____}$$

$$\frac{2}{5} - \frac{1}{3} = \text{_____}$$

$$\frac{4}{5} - \frac{2}{3} = \text{_____}$$

$$\frac{9}{10} - \frac{1}{3} = \text{_____}$$

$$\frac{14}{12} - \frac{1}{6} = \text{_____}$$

$$\frac{15}{16} - \frac{1}{4} = \text{_____}$$

$$\frac{9}{4} - \frac{1}{2} = \text{_____}$$

$$\frac{8}{5} - \frac{1}{2} = \text{_____}$$

$$\frac{10}{3} - \frac{1}{2} = \text{_____}$$

Statistique

Voir aussi *probabilité*.

1 À partir du diagramme ci-dessous, calcule combien de bêtises par jour, en moyenne, Amédée a faites cette semaine.

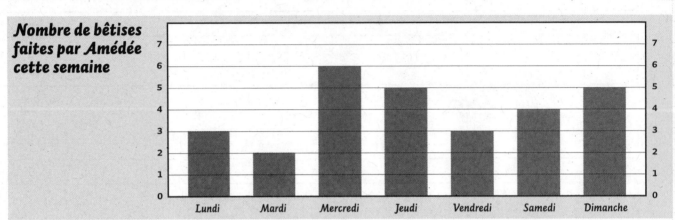

Nombre de bêtises faites par Amédée cette semaine

Démarche	Réponse

2 À partir du diagramme ci-dessous, calcule la moyenne générale d'Amédée pour le bulletin d'octobre.

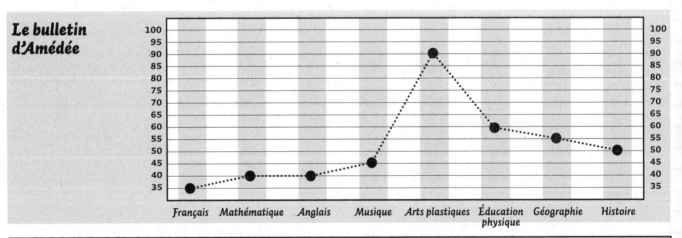

Le bulletin d'Amédée

Démarche	Réponse

3 Voici les résultats d'une enquête sur le légume que nous détestons le plus dans notre classe. Le prof de math nous a demandé de les présenter sous forme de diagramme circulaire.

Données

Adèle : pomme de terre	Joséphine : champignon	Lulu : oignon	Napoléon : champignon
Charles-Antoine : brocoli	Héloïse : champignon	Octave : brocoli	Miléna : pomme de terre
Olga : oignon	Gonzales : brocoli	Louis : brocoli	Lancelot : brocoli
Anne-Sophie : oignon	Jacob : champignon	Félix : oignon	Lison : oignon
William : brocoli	Omar : brocoli	Ursule : oignon	Amédée : brocoli

Démarche	Légumes détestés par les élèves de la classe

Surface

 Calcule l'aire des polygones ci-dessous en carrés-unités.

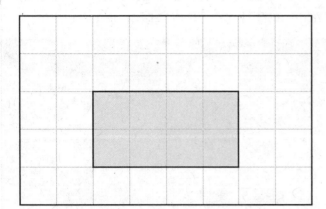

Démarche	Réponse

Démarche	Réponse

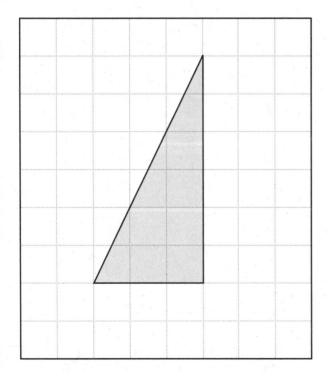

Démarche	Réponse

Démarche	Réponse

Calcule l'aire des polygones ci-dessous.

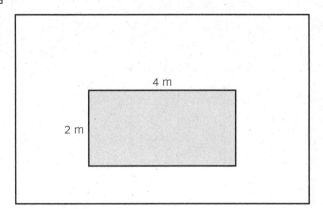

4 m

2 m

Démarche	Réponse

3 m

3 m

2 m

5 m

Démarche	Réponse

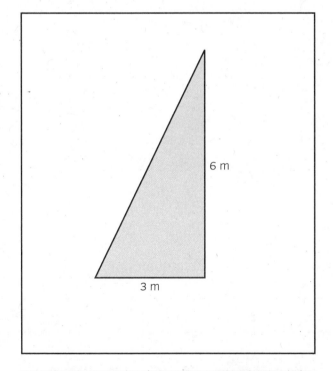

6 m

3 m

Démarche	Réponse

2 m

7 m

3 m

3 m

Démarche	Réponse

Température

1 Écris la température indiquée sur chaque thermomètre.

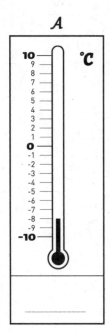 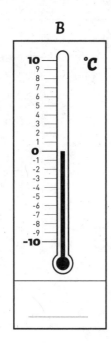 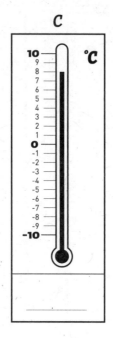 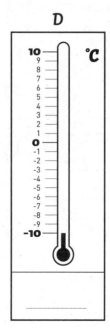

....

2 Quel écart de température y a-t-il :

entre le thermomètre A et le thermomètre B ? ....

entre le thermomètre B et le thermomètre C ? ....

entre le thermomètre C et le thermomètre D ? ....

entre le thermomètre A et le thermomètre C ? ....

entre le thermomètre A et le thermomètre D ? ....

3 Choisis, parmi les températures ci-dessous, celle qui convient à chaque énoncé.

100 °C	40 °C	37 °C	3 °C	0 °C	–25 °C

a) La température du corps humain : ....

b) L'eau qui bout : ....

c) La température du réfrigérateur : ....

d) L'eau qui gèle : ....

e) Une forte fièvre : ....

f) Un froid sibérien : ....

Temps

1 Réponds aux questions.

	Démarche	Réponse
Combien y a-t-il de secondes dans une heure ?		
Combien y a-t-il d'heures dans une semaine ?		
Combien y a-t-il de minutes dans une journée ?		
Combien y a-t-il d'heures en avril ?		
Combien y a-t-il de jours au mois de février d'une année bissextile ?		
Combien y a-t-il d'heures en mars ?		
Combien y a-t-il de jours dans une année bissextile ?		

Résous les problèmes suivants.

	Démarche	Réponse
Le grand-père de Louis avait 11 ans quand il a fait sa 5ᵉ année à notre école en 1958. En quelle année est-il né ?		
Cette année, nous aurons 182 jours de classe. Combien de semaines cela fait-il ? Quelle fraction de l'année cela représente-t-il ?		
Cette année, nous serons en vacances le 21 juin au soir. La rentrée se fera le 26 août au matin. Combien de jours de vacances aurons-nous ?		
Le matin, l'école commence à 8 h 15 et se termine à 11 h 20. L'après-midi, elle commence à 13 h 10 et se termine à 15 h 15. S'il y a 30 minutes de récréation en tout dans la journée, combien d'heures de classe avons-nous par semaine ?		
Pendant l'examen de français, qui a duré de 8 h 55 à 10 h 55, Octave s'est mouché toutes les 3 secondes. Combien de fois s'est-il mouché ?		
Le concierge travaille du lundi au jeudi. Il a 4 semaines de vacances par an. Il travaille en tout 1 680 heures par année. Combien d'heures travaille-t-il par jour ?		
Il est 9 h 12. Le prof de math sort de la classe et nous dit : « Je reviens dans 30 secondes ». À son retour, Louis en riant lui fait remarquer qu'il est en retard de 6 minutes et demie. Quelle heure est-il ?		

Translation

Voir aussi réflexion.

1 Trace la flèche de translation qui a permis de reproduire la figure A, et décris cette translation.

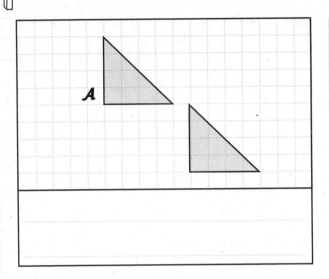

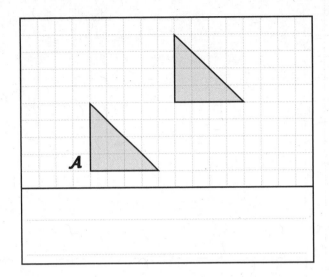

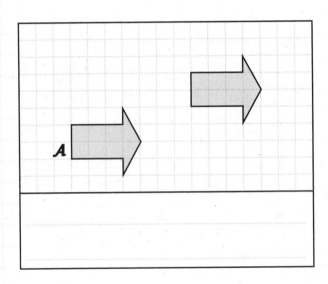

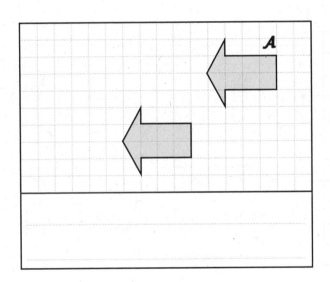

2 Complète par translation la frise ci-dessous.

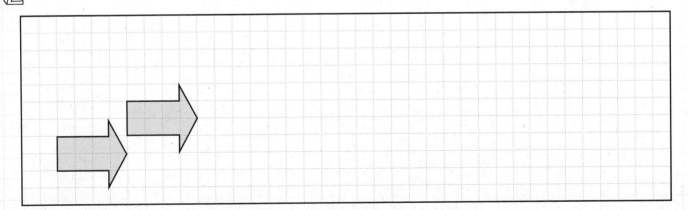

3 Sur chaque plan cartésien ci-dessous, trace l'image de A selon la flèche de translation.

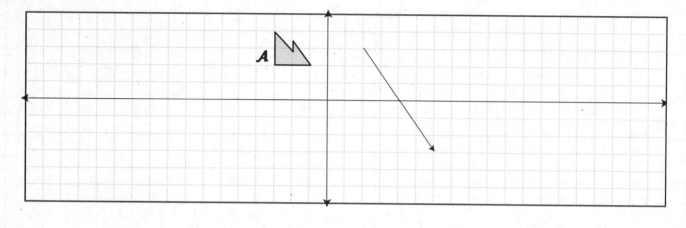

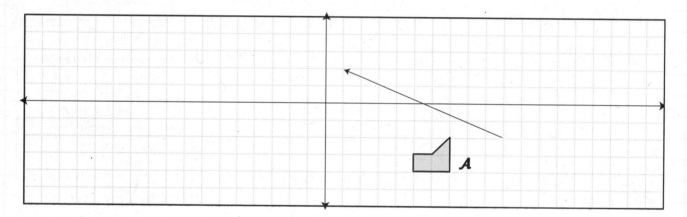

4 Quelle figure est la reproduction de A par translation ?

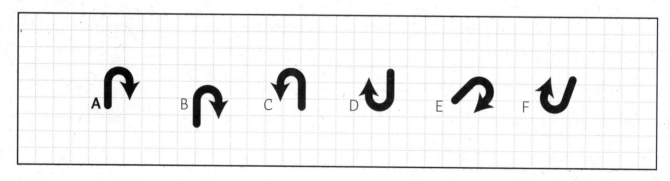

Réponse : _____

Triangle

Voir aussi *figure plane, polygone.*

1 Écris le nom des triangles qui correspondent aux caractéristiques données.

Caractéristiques	Triangles
Trois côtés inégaux	
Deux côtés congrus	
Trois côtés congrus	
Trois angles congrus	
Deux côtés congrus et un angle droit	

2 Vrai ou faux ?

	Vrai	Faux
Un triangle scalène peut avoir un angle obtus.		
Un triangle scalène peut avoir trois angles aigus.		
Un triangle rectangle peut avoir un angle obtus.		
Un triangle rectangle peut aussi être isocèle.		
Un triangle isocèle peut avoir un angle obtus.		
Un triangle équilatéral peut avoir un angle obtus.		
Un triangle équilatéral peut avoir un angle droit.		
La somme des angles d'un triangle est de 360°.		
La somme des angles d'un triangle est de 180°.		
Un triangle dont les trois angles sont aigus est un triangle acutangle.		

Valeur de position d'un chiffre dans un nombre

Voir aussi décomposition d'un nombre.

1. Pour chaque nombre, écris à quelle position est le chiffre 3 et combien d'unités il représente.

	Position	Unités
26**3**		
5**3**7		
5 **3**72		
1**3** 457		
32 465		
321 982		
21,**3**		
45,0**3**		
125,95**3**		
2**3**,125		
12**3** 456,06		
425,98**3**		
1**3** 678,95		
78 94**3**,59		
3 821,65		
754 **3**81,981		
49 267,98**3**		
546 892,6**3**5		

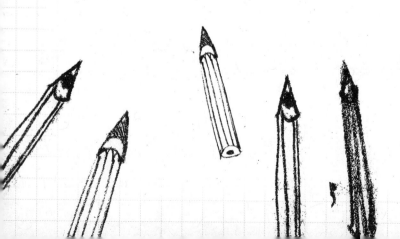

 Écris les nombres.

1 c. de m., 2 d. de m., 3 u. de m., 4 c., 5 d., 6 u. : _____

8 u., 7 d. de m., 1 u. de m., 2 c. de m., 5 c., 9 d. : _____

3 c. de m., 45 u. de m., 23 d., 6 u. : _____

20 d. de m., 3 u. de m., 124 c., 36 u. : _____

745 u. de m., 8 u. : _____

Réponds aux questions.

Combien y a-t-il de dizaines de mille dans 123 456 ? _____

Combien y a-t-il d'unités de mille dans 123 456 ? _____

Combien y a-t-il de centaines dans 123 456 ? _____

Combien y a-t-il de dizaines dans 123 456 ? _____

Combien y a-t-il de dixièmes dans 123,275 ? _____

Combien y a-t-il de centièmes dans 123,275 ? _____

Combien y a-t-il de millièmes dans 123,275 ? _____

Combien y a-t-il de dixièmes dans 4 568,25 ? _____

Combien y a-t-il d'unités de mille dans 345 234,95 ? _____

Combien y a-t-il de centièmes dans 5 382,035 ? _____

Combien y a-t-il de dizaines de mille dans 236 781,83 ? _____

Combien y a-t-il de centaines dans 875 743,25 ? _____

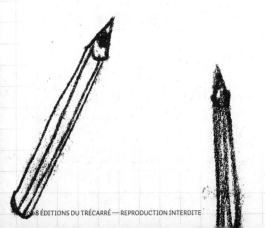

Volume

 Calcule le volume des solides ci-dessous en cubes-unités.

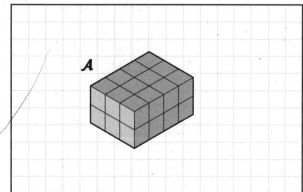

A

Démarche	Réponse

B

Démarche	Réponse

 Calcule le volume des solides ci-dessous.

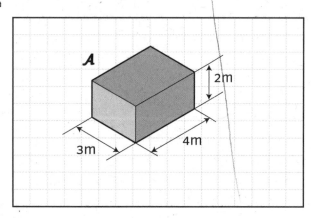

A

2m

3m   4m

Démarche	Réponse

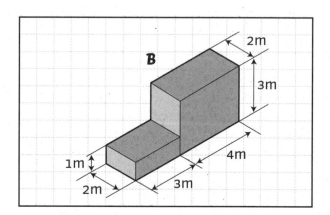

B

2m

3m

1m

2m   3m   4m

Démarche	Réponse

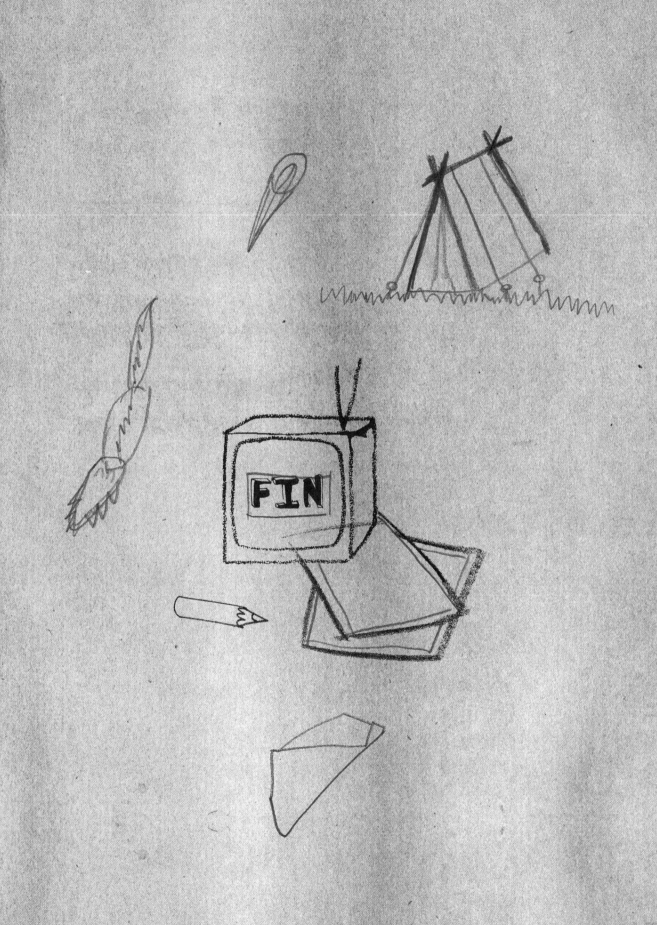